Le 31 mai

Eileen Caddy

la petite voix

méditations quotidiennes

LE SOUFFLE D'OR
BP 3
05300 Barret-sur-Méouge

Titre original: *Opening doors within*

Mise en forme: David Earl Platts
Publié en anglais par The Findhorn Press,
The Park, Forres IV 36 0TZ, Scotland, R.U.

En français: *La petite voix*

Traduit de l'anglais par Anne de Keating-Heart
Relecture Patrice Morchain
Nouvelle édition 2002
Couverture Alpa (05)
Mise en page : A'Prim / Serres (05)
Impression : Brodart et Taupin (72)

Autres titres du même auteur:

- en français

L'envol vers la liberté / Le Souffle d'Or 1989 (épuisé)

Paroles de vie / Le Hierarch 1989

Eileen Caddy, une vie divinement ordinaire
Le Souffle d'Or 1999

- en anglais / The Findhorn Press

God spoke to me

Foundations of Findhorn

The dawn of change

AVANT PROPOS

C'est en 1953 qu'Eileen Caddy reçut pour la première fois un message personnel d'une petite voix paisible en elle-même, d'une source qu'elle nomme le Dieu intérieur.

Les enseignements simples qu'elle a ainsi reçus au fil des années apportent vérité spirituelle, vision et un éclairage sur la manière de vivre une vie plus heureuse, plus riche de sens et plus épanouissante. Ce sont ces messages intérieurs qui ont constitué la source d'inspiration pour la création et le développement de ce qui est devenu la Fondation Findhorn, communauté spirituelle internationale et centre d'éducation holistique au Nord de l'Ecosse.

Ce livre contient des valeurs spirituelles: l'amour, la joie, la paix, la gratitude, l'unité. Vous les retrouverez, ainsi que d'autres thèmes, souvent répétés au fil des pages, car ainsi que le dit la « petite voix » d'Eileen: « Très doucement et avec beaucoup d'amour, je continue sans cesse de te rappeler les choses qui comptent réellement dans la vie, jusqu'à ce qu'elles finissent par faire partie intégrante de ta vie, et qu'elles vivent et se meuvent et aient leur être en toi ».

Ce journal éternel vous propose des messages inspirants, pratiques et irrésistibles dans un style simple et direct, avec des suggestions pour votre croissance et développement spirituels quotidiens.

Vous pouvez lire le message du jour au réveil, pour recevoir une direction générale pour ce jour; un membre de votre famille peut aussi le lire à la table du petit déjeuner; il peut encore servir de base à votre méditation quotidienne; le relire le soir peut vous aider à considérer votre journée écoulée.

Choisissez d'utiliser ces messages comme bon vous semble, portez ces enseignements en vous-mêmes jour après jour, année après année, jusqu'à ce qu'ils « finissent par faire partie intégrante de votre vie, et qu'ils vivent et se meuvent et aient leur être en vous », jusqu'à ce qu'ils aient accompli leur amoureux travail silencieux et plein de douceur qui consiste à « ouvrir les portes du dedans ».

David Earl Platts

JANVIER

On me montra un bol de nourriture posé
dans la neige, et je vis aux alentours les traces
de beaucoup d'oiseaux et autres animaux:
ils savaient qu'ils trouveraient là de quoi manger.
J'entendis les mots:

Tu ne peux vivre seulement de pain.
Viens à moi pour ta nourriture spirituelle,
et je t'emplirai et t'enverrai dans le monde,
rafraîchi, renouvelé et pleinement satisfait.

1er JANVIER

Élève ton cœur et entre dans la nouvelle année avec la certitude que celle-ci sera vraiment merveilleuse. Visualise le meilleur qui émerge de chaque chose. Je peux te révéler quelle splendide année ce sera. Mais, si tu n'acceptes pas ce que Je dis d'un cœur plein de gratitude, et que tu ne t'attends pas au meilleur parce que ta foi et ta confiance sont placées en Ma parole, elle ne viendra pas. Tu dois participer à son avènement. Tu dois t'accrocher à Mes merveilleuses promesses et croire. Il ne s'agit pas de croire avec ta tête. Tu dois croire avec l'intuition, avec ce savoir intérieur qui vient du plus haut, de Moi. Regarde: Je vais devant toi, Je prépare le chemin, et Je rends possible ce qui est apparemment impossible. Seul le mieux, l'absolument parfait est destiné aux âmes qui m'aiment vraiment et Me mettent au premier plan.

2 JANVIER

Ne t'inquiète pas si tes débuts dans la vie spirituelle sont modestes. Toutes les bonnes choses ont de petits commencements. Le puissant chêne est issu d'un gland minuscule. D'une petite graine surgissent les plantes et les fleurs les plus merveilleuses. Une minuscule graine d'amour peut changer bien des vies. Une minuscule pensée de foi et de croyance peut engendrer merveille sur merveille. Les petites choses croissent et deviennent grandes. Sois reconnaissant pour toutes les petites choses dans la vie; ensuite, alors qu'elles croissent, tu seras reconnaissant pour chacune d'entre elles, et tu exprimeras ta gratitude par des mots et des actes. Laisse ce qui est au-dedans s'exprimer au-dehors. Souviens-toi toujours qu'un cœur reconnaissant est un cœur ouvert, et qu'il M'est bien plus facile de travailler dans et à travers un cœur ouvert. Remercie sans cesse pour tout, afin que Je puisse travailler dans et à travers toi tout le temps, et que je puisse faire advenir Mes merveilles et Ma gloire pour que tous les voient!

3 JANVIER

Lorsque tu aimes, que ce soit de tout ton cœur. Ne crains jamais de montrer ton amour. Que ton amour soit comme un livre ouvert que toutes les âmes puissent lire. C'est la chose la plus merveilleuse au monde, alors laisse cet amour divin au-dedans de toi couler librement. L'amour n'est pas aveugle, mais il voit le meilleur chez l'être aimé, et ainsi il fait émerger le meilleur. Ne choisis jamais qui tu vas aimer. Garde simplement ton cœur ouvert et fais couler sans cesse l'amour de la même manière vers toutes les âmes. Faire ainsi est aimer de Mon amour divin. Il est comme le soleil et brille sur tous sans distinction. L'amour ne devrait jamais être ouvert ou fermé comme un robinet. L'amour n'est jamais exclusif, jamais possessif. Plus tu es désireux de le partager, plus il devient grand. Retiens-le et tu le perdras. Laisse-le aller, et il te revient multiplié par mille et devient une joie et une bénédiction pour tous ceux qui le partagent.

4 JANVIER

Que signifie pour toi vivre par la foi? Où se trouve ta sécurité? Est-elle dans les personnes? Dans ton compte en banque? Ou est-elle fermement enracinée et établie en Moi, le Seigneur ton Dieu, la divinité en toi? Prends du temps pour y réfléchir, et tu sauras sans l'ombre d'un doute où ta foi et ta sécurité reposent exactement.

Peux-tu joyeusement et sans peur faire un grand pas dans ta vie sans sécurité extérieure apparente? Quand tu sais que quelque chose est juste, peux-tu le faire sans hésitation? Peux-tu mettre ta main dans la Mienne avec confiance et dire: « que Ta volonté soit faite », le penser de tout ton cœur et de toute ton âme, et faire ce pas dans l'inconnu, prêt à tout accepter quoi qu'il arrive?

La seule manière de construire la foi est de faire des petits pas, même hésitants et puis de plus grands jusqu'à ce que ta foi soit si forte qu'il te soit possible de faire de grands bonds dans l'inconnu parce que tu sais que JE SUIS avec toi, toujours.

5 JANVIER

Es-tu prêt à changer? Prends du temps pour être au calme et sois très honnête avec toi-même. Te sens-tu content et satisfait de toi-même? Sens-tu qu'il est juste que les autres changent, mais que ta vie est très bien? Si telle est ton attitude, il est temps que tu fasses un vrai nettoyage de printemps et vides ta pensée — en fait ta vie tout entière — et en révises le contenu. Ceci fait, ne remets rien en place sauf si tu es absolument sûr que c'est du niveau le plus élevé et que tu en as besoin. Plus tu es vide, mieux c'est, parce que tu fais de la place pour que le neuf te remplisse. C'est lorsque tu n'as rien et que tu te sens complètement vide que Je peux entrer. Ne sois pas désespéré quand tu te sens dépouillé de tout. Appelle-Moi, et Je te donnerai le royaume. Je ne refuse rien aux âmes qui recherchent Mon aide et Ma conduite avec une humilité et un amour vrais.

6 JANVIER

N'envie jamais la progression ou l'accomplissement spirituel d'un autre. Prends conscience que tu peux en faire autant. Mais tu dois faire quelque chose pour cela et ne pas simplement rester là à te plaindre de ton lot dans la vie. Toute âme peut atteindre les hauteurs. Toute âme peut trouver le contact direct avec Moi. Toute âme peut marcher et parler avec Moi si elle le veut et accepte ce fait. Tu dois croire que c'est possible et tu dois vouloir le faire; alors tu le feras plus que certainement. Cela ne demande pas nécessairement des vies entières. Cela ne demande pas nécessairement de temps du tout. Tu peux changer en un clin d'œil si tu choisis de le faire.
A un moment, tu peux être en train de marcher dans l'ancien et, le moment suivant, tu peux être dans le splendide nouveau. Cela peut arriver aussi vite que ça, sans aucun effort de ta part mais avec un profond désir, une profonde détermination et une foi et une croyance absolues. Pourquoi ne pas essayer, et laisser Ma paix et Mon amour te remplir et t'envelopper?

7 JANVIER

Ne ferme jamais, à aucun moment, ton cœur ni ton esprit. Ne crains jamais le nouveau, l'étrange, le non conventionnel. Sois prêt et préparé à écouter ton intuition, l'inspiration qui peut révéler quelque chose de si complètement nouveau pour toi que cela peut même n'avoir ni forme ni substance, et que tu peux même avoir à l'habiller de mots. La fierté intellectuelle peut être un handicap au long de ce chemin spirituel et une véritable pierre d'achoppement pour la vérité. Ce n'est pas de l'intellect dont tu as besoin; c'est de l'inspiration et de l'intuition. L'intellect vient de l'extérieur, alors que l'inspiration et l'intuition viennent de l'intérieur et ne peuvent être influencées par quoi que ce soit d'extérieur. Laisse venir de l'intérieur ce que tu apprends; inspire-toi de tout ce que tu as au-dedans de toi. Tu seras ébahi de tout ce que tu recèles. C'est sans limite, car cela vient de Moi et JE SUIS sans limite, et tout ce qui est de Moi est sans limite et éternel.

8 JANVIER

Que gardes-tu dans ta conscience? Je ne veux pour toi que le mieux et le plus élevé. Si tu choisis avec ton propre libre-arbitre quelque chose de moindre, que tu l'attires à toi et te satisfais du second choix, Je n'y peux rien.
Ne crains jamais de compter sur le meilleur. Ne ressens jamais que tu es indigne d'avoir le meilleur ou que tu ne le mérites pas. Je te dis que c'est ton véritable héritage, mais tu dois le réclamer; tu dois l'accepter et compter dessus. Cela t'appartient, c'est Mon cadeau pour toi. Vas-tu l'accepter d'un cœur plein et reconnaissant, ou le rejeter?
Ne laisse pas la fausse humilité t'empêcher d'accepter ce qui t'appartient de droit; et ne te contente pas de l'accepter, mais exulte de joie au-dedans, et rends grâce éternellement. Chéris-le, et regarde sa merveille se déployer dans ta vie, en sachant sans l'ombre d'un doute que tout ce que J'ai t'appartient.

9 JANVIER

Les âmes qui demeurent en Moi et vivent, vibrent et ont leur essence dans Ma lumière et Mon amour sont pleinement protégées de toutes les forces nuisibles. Alors ne sois pas écrasé par les soucis du monde ou par les conditions de vie de tes compagnons humains. Si tu es écrasé, tu ne peux pas aider car à ton tour tu fais partie du chaos et de la confusion dans lesquels se trouve le monde. Alors que l'obscurité dans le monde s'intensifie, ta lumière intérieure doit augmenter en puissance et en force afin que tu puisses dépasser le monde et manifester la vie et la lumière éternelles. Ne permets à rien de négatif en toi d'obscurcir la lumière, mais laisse-la s'embraser en toi. Aucune force extérieure ne peut éteindre la lumière intérieure, elle reste à jamais ardente, quel que soit l'état apparent du monde. Par ton exemple vivant, tu peux aider à transformer l'obscurité en lumière. Reste en contact constant avec Moi, laisse-Moi t'inspirer en toute chose.

10 JANVIER

Apprends à rechercher toutes les réponses en toi. Prends du temps pour être au calme et trouver la réponse dans le silence. Ne désespère jamais si elle n'arrive pas immédiatement. Simplement, attends-Moi, et sache que J'agis au moment juste et en rythme parfait avec la totalité de la création. Comme il est facile, lorsque la vie ne va pas très bien, de lever les bras au ciel de désespoir et d'essayer de tout fuir, au lieu de faire face à tes responsabilités et de t'appuyer sur la tranquillité et la confiance. Recherche Ma volonté avant toute autre chose. Lorsque tu m'aimeras vraiment, tu voudras faire Ma volonté, car l'amour désire fortement faire tout pour le Bien-Aimé. Ainsi donc, quand tu entends Ma petite voix tranquille tout au fond de toi, fais jusqu'au bout tout ce que JE te demande par seul amour pour Moi.

Sache que Je ne te ferai jamais défaut ni ne t'abandonnerai. Sache qu'il ne sortira que le meilleur de tout ce que tu fais à cause de Moi.

11 JANVIER

Il peut y avoir beaucoup de chemins, mais ils ont tous le même but. Il y a toujours la manière facile ou la manière difficile d'atteindre le but. Il y a la route directe, ou l'autre, sinueuse, qui conduit à travers routes et chemins de traverse avant d'arriver. Le choix dépend toujours de la personne. Tu es absolument libre de choisir ton propre chemin. Donc cherche-le et suis-le, même si, à la fin, tu prends conscience du temps que tu as perdu à suivre la route sinueuse alors que tu aurais pu si facilement prendre celle qui était directe.

Sais-tu où tu vas et ce que tu fais? Sais-tu si tu es à ta place et si tu es en paix au fond de toi?

Il est important que tu sondes ton propre cœur et que tu trouves, car tu ne peux donner le meilleur de toi si tu ne te sens pas à ta place, si tu ne fais pas ce que tu sais devoir faire avec joie et amour.

12 JANVIER

Si un enfant qui apprend à marcher tombe, il n'est pas découragé, mais il se ramasse et essaye encore et encore jusqu'à ce qu'il ait maîtrisé l'art de marcher. Il en est de même avec la vie spirituelle.
Jamais, à aucun moment, ne permets aux échecs apparents de te décourager d'avancer le long du chemin spirituel. Si tu tombes, ramasse-toi simplement et essaye encore. Ne te contente pas de rester là à t'apitoyer sur toi-même, disant que tu ne peux pas continuer et que la vie est trop difficile. Ton attitude doit être toujours fondée sur la certitude intérieure absolue qu'une fois tes pieds posés sur le chemin spirituel, tu atteindras le but, peu importe les obstacles que tu pourras rencontrer.
Tu verras que le temps passé seul dans le silence te recharge spirituellement et t'aide à faire face, sans hésiter ni faillir, à tout ce qui peut se présenter. C'est pourquoi le temps passé seul avec Moi chaque matin aide à te donner des forces pour tout ce que la journée peut apporter.

13 JANVIER

Sans foi tu ne peux pas voyager sur ce chemin spirituel. Sans confiance il n'y a pas d'amour; et sans amour la vie est vide. Ouvre ton cœur et laisse couler l'amour sans cesse, même si la vie peut sembler difficile en surface. Elève-toi au-dessus des conditions et circonstances extérieures de la vie jusque dans les domaines où tout est lumière, tout est paix, tout est perfection et où il n'existe pas de séparation.

Tu dois faire ce choix, et puis tu dois le réaliser. Ne permets à rien d'extérieur de te déprimer. Vois la splendide merveille cachée, telle une doublure d'argent, derrière chaque nuage sombre, et concentre-toi sur elle jusqu'à ce que le nuage se dissipe. Apprends à planer comme une alouette, loin, loin dans les hauteurs, en chantant des chants de louange et de grâce. Ne t'accroche pas aux voies de ce monde, au matérialisme, dans la vie.

Ce sont les voies de l'Esprit qui importent. Commence dès maintenant à vivre par l'Esprit et à marcher dans les chemins de l'Esprit.

14 JANVIER

Il y a tant de choses merveilleuses à faire dans la vie, mais que peux-tu faire le mieux? Trouve ce que c'est, et puis, va et fais-le avec plaisir. Ne perds ni temps ni énergie à désirer faire autre chose, ou à souhaiter être ailleurs avec d'autres opportunités.
Reconnais que tu es exactement où tu dois être, au bon moment, et que tu es là pour une raison particulière, pour accomplir une tâche spécifique. Ainsi donc, donne tout ce que tu as pour cette tâche, et fais-la avec amour et joie. Vois comme la vie peut être amusante, pour toi, mais aussi pour toutes les âmes autour de toi.
Tu ne peux espérer devenir partie du tout si tu ne lui donnes ce qu'il y a de vraiment meilleur en toi. Tu t'en couperais, et il n'y aurait pas de globalité en toi. Quelle satisfaction profonde tu trouveras lorsque tu accompliras parfaitement ce qui doit être fait et que tu le feras pour le bénéfice du tout.

15 JANVIER

Pourquoi ne pas te détendre? Relâche-toi et laisse-Moi prendre les rênes, car plus il y a de tension et d'efforts dans ta vie, moins tu en fais. Pourquoi ne pas te laisser couler avec la nature, couler avec le courant, et accomplir ce qui doit être fait très simplement, naturellement et joyeusement? Pourquoi ne pas jouir de la vie, au lieu de la traverser avec une détermination têtue, en te forçant à faire ceci, cela et le reste, sans aucune joie ni amour? La vie est merveilleuse quand tu es en harmonie avec elle et que tu cesses de résister à quoi que ce soit. Pourquoi te rendre les choses compliquées? Pourquoi ne pas faire de ce jour un jour spécial, et ne pas voir le meilleur en tout? Remercie pour tout. Apprécie tout comme cela devrait être apprécié. Je veux que tu jouisses de la vie.

Commence en voyant la beauté de la nature tout autour de toi, et tu verras qu'une chose merveilleuse conduira à une autre, jusqu'à ce que ta vie entière soit une vie d'émerveillement et de joie.

16 JANVIER

Si jamais tu as le moindre doute à propos d'une action à faire, pourquoi ne pas faire le silence pour Me servir, sans jamais te précipiter, ni faire la moindre chose sans Ma bénédiction? Sache toujours où tu vas, et tu ne te perdras pas en chemin; c'est pourquoi, avant d'aller de l'avant, il est important d'attendre Mon feu vert. Ce n'est pas perdre du temps de faire le silence et de Me servir.

Cela gagne tellement de temps à la fin, lorsque tu fais la chose juste plutôt que lorsque tu te précipites et fais l'inverse, et qu'il te faut alors revenir sur tes pas et défaire tout ce que tu as fait dans ton impétuosité fougueuse. Lorsque tu sais qu'une chose est juste, n'hésite pas à la faire jusqu'au bout immédiatement.

C'est lorsqu'il existe un léger sentiment d'incertitude à propos de quelque chose, qu'avant d'agir, il te faut attendre, attendre, attendre jusqu'à ce que les choses se clarifient pour toi.

17 JANVIER

La vie sans la prière est vide et sans signification, car c'est cette communion avec la partie la plus élevée de toi qui te révèle la plénitude de cette vie splendide qui est ton véritable héritage. Que tes prières soient très positives et très constructives, et remercie pour ce que tu es sur le point de recevoir, avant même de prier. Lorsque tu pries, ressens l'unité de toute vie dans laquelle il n'y a pas de séparation, car tout est un. La prière unifie tout; elle rassemble tout et crée la parfaite unité. Parle-Moi et écoute-Moi. Ne perds jamais de temps à M'implorer pour ceci, cela et le reste, car là n'est pas la vraie prière. Implorer engendre la séparation, et Je veux que tu crées l'unité à tout moment. Nous sommes un.
JE SUIS en toi; tu n'as pas à Me chercher à l'extérieur. JE SUIS toujours là à attendre que tu Me reconnaisses. Reconnais notre unité maintenant; Moi en toi, et toi en Moi.

18 JANVIER

Il ne tient qu'à toi de faire de ce jour le plus merveilleux que tu aies jamais vécu, par ton attitude juste et grâce à ta pensée positive. Considère ce jour comme Mon jour, un jour pleinement béni par Moi, et vois-le se dérouler en une vraie perfection, sans jamais avoir une pensée de déception qui le gâcherait. Pourquoi serais-tu déçu par quoi que ce jour puisse apporter? Souviens-toi que tu le contrôles totalement. Tu es maître de la situation; donc, la manière dont il se déroule dépend de toi.

Face à un problème, sache qu'il y a une réponse, ne le laisse jamais t'accabler. Vois-le comme un seuil; vois-le comme un défi, et la solution se révèlera. Ne permets jamais, jamais au problème de te contrôler. Tu dois faire l'effort de penser positivement, de penser grand, de penser réussite. Puis regarde-la arriver pas à pas.

19 JANVIER

Tu ne peux espérer croître spirituellement à moins d'être préparé à changer.

Ces changements peuvent survenir petit à petit pour commencer, mais, plus tu avances dans le nouveau, plus ils deviendront importants et toucheront à ta vie tout entière. Parfois il faut un bouleversement total pour amener une façon de vivre entièrement nouvelle. Mais c'est stupéfiant comme tu peux t'habituer rapidement au changement tant que tu as du courage et la conviction que c'est pour un mieux. Que la perfection soit toujours ton but. Continue à t'étirer. Cherche à atteindre ce qui est apparemment impossible. Continue à grandir en sagesse et compréhension, et ne sois jamais, à aucun moment, satisfait de rester statique. Il y a toujours quelque chose de plus à apprendre. Il y a toujours quelque chose de nouveau et de merveilleux à découvrir dans cette vie, alors élargis ta conscience et ton imagination pour lui faire de la place. Reste ouvert et réceptif afin de ne rien manquer.

20 JANVIER

Tout ce que J'ai est à toi quand tu apprends à mettre les choses essentielles en premier, mais tu dois prendre du temps afin de sonder ton cœur pour savoir ce que tu mets en premier dans ta vie. Souviens-toi, tu ne peux rien Me cacher, alors sois complètement franc et honnête avec toi-même.

Est ce que ton travail pour Moi signifie plus pour toi que n'importe quoi, ou es-tu enclin à le reléguer à l'arrière-plan, et à faire Ma volonté seulement lorsque tu te sens de la faire et que cela t'arrange? S'il en est ainsi, tu ne mets pas les choses essentielles en premier.

C'est seulement lorsque tout M'est abandonné que Je peux travailler librement en toi et à travers toi pour faire advenir Mes merveilles et Ma gloire. Que ton abandon ne soit pas fait à moitié ou avec crainte. Quand tu donnes quoi que ce soit, donne-le de tout ton cœur et avec une joie et un amour authentiques, et n'aie aucun regret d'aucune sorte. Sache que J'utiliserai ton don de la meilleure façon, pour Mon honneur et Ma gloire et pour le bénéfice du tout.

21 JANVIER

Commence la journée en remerciant. Rends-toi compte que tu es puissamment béni et que Mes bénédictions sont déversées en permanence sur toi. Ton manque de reconnaissance d'hier importe peu; c'est ton attitude actuelle qui importe. Laisse le passé derrière toi.

Ne perds pas de temps à t'apesantir sur tes erreurs passées; apprends simplement à travers elles, puis avance et jouis de la vie, en remerciant constamment pour toute chose.

Quant tu es reconnaissant et que tu apprécies toutes les bonnes choses dans la vie, l'amour coule librement en toi et à travers toi. C'est lorsque tu oublies de remercier et d'apprécier tous Mes dons parfaits et bons que tu deviens sec et fragile. Tu te préoccupes de toi-même et cesses de t'intéresser à tes compagnons humains. La façon la plus rapide de changer cette mauvaise attitude est de commencer à penser aux autres et de commencer à vivre pour le tout et à lui donner. Tu verras que le soi et le souci de soi fondra dans l'arrière-plan et deviendra insignifiant. Pourquoi ne pas le faire dès maintenant?

22 JANVIER

Ne reste pas au point mort, passe une vitesse, et fais quelque chose de ta vie. Il y a beaucoup d'avenues, alors pourquoi ne pas les explorer? Ne crains jamais de faire un pas dans l'inconnu, dans le nouveau. Fais-le sans peur, attends-toi toujours au meilleur. La vie est très passionnante et très excitante, mais tu dois avoir le désir de t'aventurer dans le nouveau avec une foi et une confiance absolues.

Laisse-Moi être ton guide et ton compagnon loyal. Il y a tant de choses qui attendent de t'être révélées lorsque tu seras prêt. Tu dois être correctement équipé pour cette vie d'aventure. Tu dois apprendre des leçons d'importance vitale avant de t'y lancer. Tu dois apprendre des leçons fondamentales d'obéissance et de discipline. C'est pourquoi tu dois être mis à l'épreuve et testé. Ne sois pas impatient lorsque tu dois subir ces tests et ces épreuves, mais sois reconnaissant d'avoir été choisi pour suivre ce chemin spirituel.

23 JANVIER

Pourquoi remettre à plus tard ce qui est ton héritage divin présent?

JE SUIS en toi, plus près que ta respiration, plus près que tes mains et tes pieds. Peux-tu l'accepter? Ou as-tu toujours des doutes et te demandes-tu si c'est possible? C'est une chose que chacun doit découvrir par lui-même.

On peut l'entendre et le réentendre,mais tant qu'on n'est pas prêt à l'accepter comme un fait, et à en reconnaître la merveille, cela ne veut rien dire. Ou alors c'est juste un rêve merveilleux qui peut, peut-être, devenir un jour réalité. Que de temps perdu en doutes et en incroyance.

C'est seulement lorsque tu connais la vérité que la vérité te rend libre. Ce n'est pas d'en entendre parler ou de lire des articles à son propos. La vérité doit vivre, vibrer et avoir son essence en toi. Alors, elle te rend libre, et tu connais la vraie signification de la liberté du cœur, de l'intelligence et de l'esprit.

24 JANVIER

Cesse de chercher de l'aide chez les autres, cherche-la à l'intérieur, et tu la trouveras. Va toujours à la Source pour trouver la réponse, et ne te satisfais de rien qui ne soit pas neuf, ni du plus haut niveau. En commençant au fond et en remontant, tu seras nettoyé et purifié complètement et tu pourras commencer avec des fondations solides semblables à du roc que rien ni personne ne peut ébranler ou détruire.

Une fois que tes fondations sont solides, tu peux continuer à construire et ce sans aucune inquiétude. Veille à ce qu'elles soient enracinées et enfoncées en Moi, dans les voies de l'Esprit, et non dans les voies du monde, qui sont là aujourd'hui et auront disparu demain. Vis, vibre et garde ton être tout entier en Moi. Laisse Ma paix et Mon amour te remplir et t'envelopper. Elève ton cœur en un amour profond, en louange et gratitude profondes et sois parfaitement en paix alors que tu fais Ma volonté et suis Mon chemin.

25 JANVIER

Qu'il n'y ait pas de rêverie sans substance dans ta vie spirituelle. C'est une vie très réelle, très pratique, une vie pleine d'amusements et de projets. Attends-toi à ce que l'impossible devienne possible. Attends-toi à ce qu'arrive miracle sur miracle simplement parce que tu vis et démontre Mes lois divines. Si tu vis selon Mes lois, il peut arriver n'importe quoi à n'importe quel moment, parce que tu es accordé avec les puissances supérieures et que tu travailles à partir d'un niveau de conscience supérieur. Tu fais un avec l'Esprit Universel, avec Moi.

Lorsqu'il n'y a aucune séparation et que nous travaillons comme un seul être, toute chose est possible. Alors accorde-toi. Commence la journée en t'accordant à Moi, en étant silencieux et en trouvant cette paix et cette sérénité intérieures que rien ne peut détruire.

Un instrument sensible doit être accordé avant que l'on puisse en jouer; combien plus dois-tu l'être avant d'entrer et de jouer ton morceau dans l'orchestre de la vie.

26 JANVIER

Tu ne peux pas créer le nouveau en demeurant immergé dans l'ancien.

Un nouveau-né ne peut demeurer attaché à sa mère. Le cordon ombilical doit être coupé afin qu'il devienne un être autonome. Il en est de même avec cette vie spirituelle. Une fois que tu as mis le pied sur le chemin spirituel et que tu as décidé de vivre selon les voies de l'Esprit, tu dois faire une coupure nette avec ton ancienne manière de vivre. Tu ne peux pas avoir un pied dans chaque monde. Le choix t'appartient. Ne reviens pas sur ce choix. Avance sans cesse. C'est quand la marche est rude que tu peux désirer fortement les soi-disant « bons vieux jours » et vouloir retourner en arrière.

Il n'y a pas de retour en arrière possible dans cette vie. Un bébé ne peut pas retourner dans le sein de sa mère quand la vie lui devient trop pénible. Un poussin ne peut retourner dans sa coquille, ni un papillon dans sa chrysalide. La vie ne peut retourner en arrière. Elle doit aller en avant, toujours en avant.

27 JANVIER

Te rends-tu compte que ce que tu fais, ta manière de vivre et de penser, peut aider ou aggraver l'état du monde?
Cesse d'être attiré dans le tourbillon du chaos et de la confusion, de la destruction et de la dévastation, et commence dès maintenant à te concentrer sur la merveille et la beauté du monde autour de toi. Remercie pour tout. Bénis toutes les âmes que tu rencontres. Refuse de voir le pire en chacun, dans les choses ou dans les conditions extérieures, et recherche toujours le meilleur. Ce n'est pas comme une autruche qui se cache la tête dans le sable et refuse de voir les réalités du monde. C'est simplement chercher le meilleur en tout et en tous et te concentrer dessus.
Tu es un tout petit monde à l'intérieur de toi-même. Quand il y aura paix, harmonie, amour et compréhension là, tout au fond de ton petit monde, cela se reflètera dans le monde extérieur tout autour de toi. Lorsque tu peux le faire, tu commences à contribuer et à remédier à la situation du monde.

28 JANVIER

Pourquoi ne pas essayer d'écouter ces intangibles sons intérieurs qui ne peuvent être entendus que dans la tranquillité absolue lorsque tu t'harmonises avec les voies de l'Esprit? Dans cet état de paix parfaite, ta vie entière change, et un calme et une sérénité intérieurs profonds irradient de l'intérieur. Tu deviens un avec la totalité de la vie. Tu te sens élevé, inspiré et illuminé, car ton être tout entier est rempli de Ma lumière divine. Tu comprends, non pas avec le mental, mais avec la conscience supérieure et avec le cœur. Tu ne vis plus pour toi-même. Le soi est complètement oublié, et ta vie est une vie de don d'amour et de service pour tes compagnons humains. C'est seulement lorsque tu donnes que tu trouves la merveilleuse joie et le merveilleux bonheur intérieurs que rien ni personne ne peut te prendre. La joie vient avec le service, et le service vient avec le dévouement. Consacre-toi à Moi et à Mon service maintenant, et sens-toi grandir en faisant cela.

29 JANVIER

Es-tu prêt à changer tes idées et à changer ta façon de penser? Es-tu préparé à accepter quelque chose de nouveau, sans réserve? Certaines âmes sont souples et le font avec la plus grande facilité, mais d'autres ont une grande difficulté, et cela cause stress et tension dans leur vie. Ou cela provoque la stagnation, ce qui est presque pire. Tu dois être courageux et avancer dans des voies nouvelles, des eaux nouvelles et même non répertoriées, sans aucune crainte. Je te guide dans ces eaux nouvelles et non répertoriées, et Je ne laisserai aucun mal t'arriver. Accepte-Moi comme guide et compagnon loyal.

Il ne t'a pas été demandé d'entrer dans ces eaux inconnues sans pilote. JE SUIS ton pilote, et Je ne te laisserai jamais tomber. Fais-Moi complètement confiance. Si le chemin est rude, n'aie pas peur; s'il est dangereux, ne t'inquiète pas. Je te guiderai à travers tout. Mais souviens-toi de te relâcher et de Me laisser faire, et ne résiste pas.

30 JANVIER

Trouves-tu une joie réelle dans le travail que tu fais et dans la vie que tu mènes? Trouves-tu une fierté réelle dans un travail, non seulement bien fait, mais fait parfaitement? Est-ce que tu détestes tout ce qui est fait de façon médiocre ou sans enthousiasme? Ton cœur est-il tellement dans ce que tu fais et es-tu si conscient de faire tout pour Moi et pour Mon honneur et Ma gloire que tu ne peux être satisfait de quoi que ce soit d'approximatif? C'est ainsi que ça devrait être. Tu ne devrais jamais être satisfait d'un travail fait sans enthousiasme et à contrecœur.

Accomplis tout ce qui doit être fait avec joie et amour, et que cela inclue tout ce que tu fais, de la tâche la plus superficielle à celles qui sont d'importance vitale. Veille à ce que ton attitude soit juste dans tout ce que tu entreprends afin qu'y soient mises les bonnes vibrations. De plus, tu te surprendras à l'aimer.

31 JANVIER

Élève ta conscience et découvre que tu es sans âge. Tu es aussi jeune que le temps, aussi vieux que l'éternité. En vivant pleinement et de manière splendide dans l'éternel présent, tu es toujours aussi jeune que le présent. Tu renais constamment dans l'Esprit et la vérité. Tu ne peux pas demeurer statique dans cette vie spirituelle; il y a toujours quelque chose de nouveau et de passionnant à apprendre et à faire.

La vigilance te garde toujours alerte et jeune. C'est lorsque le mental devient vieux et ennuyeux que la vie perd toute son étincelle et tout son zeste. Si tu n'arrives pas à comprendre une nouvelle vérité avec le mental, reste calme et élève ta conscience, accorde-toi avec l'Intelligence universelle infinie et sois un avec elle, avec Moi, et tu pourras comprendre toute chose. Garde ton esprit alerte, et jamais tu ne pourras vieillir. La fontaine de jouvence est ta conscience; la joie de vivre est l'élixir de vie!

FEVRIER

Une mer très tourmentée et déchaînée,
avec des vagues hautes comme des montagnes,
me fut montrée. Puis je m'aperçus que,
sous la surface, régnaient une paix
et un calme merveilleux.
J'entendis ces mots:

Cherche au fond de toi et trouve cette paix
qui dépasse tout entendement;
conserve-la,
ce qui se passe au-dehors importe peu.

1er FEVRIER

En quoi places-tu ta foi? Crois-tu en Moi? Crois-tu que tu peux marcher et parler avec Moi? Lorsque tu vis cette vie spirituelle pleinement intégrée et faisant un avec Moi, crois-tu qu'elle fonctionne, que c'est une vie très pratique, et qu'il n'y a aucun lieu dans ta vie où cette façon de vivre ne marche pas? Prends du temps pour trier et peser ce en quoi tu crois, et par-dessus tout, apprends à te mettre au diapason. Beaucoup trop d'âmes oublient de mettre en pratique cette façon de vivre. Elles en parlent mais ne se sont pas encore prouvé à elles-mêmes ni au monde que ça marche et que, quand vous Me reconnaissez en tout, M'appelez et recherchez Mon aide, tout commence à se mettre en place dans votre vie. Quand tu obéis à Ma petite voix tranquille à l'intérieur, tu commences à te déployer comme une belle fleur et tu vois combien cette vie est vraiment pratique et merveilleuse.

2 FEVRIER

Il y a beaucoup à faire, mais tu dois apprendre à canaliser tes énergies dans la bonne direction et à ne pas les gaspiller en papillonnant dans de nombreuses activités. C'est si facile de le faire. Et c'est donc là que la discipline personnelle est nécessaire. Tu dois trouver ce que tu dois faire, et puis y aller directement sans être tenté d'essayer mille et une tâches différentes. Tu as besoin de variété et tu as besoin d'être souple, mais cela ne signifie pas dissiper ton énergie. C'est bien mieux d'apprendre à faire une chose et la faire parfaitement que de te complaire dans beaucoup et les faire mal. Je te demande de ne pas papillonner dans de nombreuses choses, mais d'être un perfectionniste dans tout ce que tu entreprends. Aie le désir d'apprendre et n'aie jamais l'impression que tu connais toutes les réponses. Il y a toujours quelque chose de neuf à découvrir. Apprends à faire ce que tu sais pouvoir faire parfaitement. Que tes critères soient les plus élevés.

3 FEVRIER

En suivant Mes lois et en leur obéissant, ta vie devient riche et puissamment bénie. Désobéis à ces lois, et tôt ou tard tu te surprendras à glisser la pente, jusqu'à ce que tu comprennes où tu as fait des erreurs et que tu sois déterminé à les rectifier. C'est alors qu'il te faut commencer à mettre les choses essentielles en premier et qu'il te faut te détourner de ton errance et Me servir, Moi et Mon royaume. Ce n'est pas facile à faire quand tu as atteint le fond et que tu sens qu'il n'y a pas de sens à ta vie. Pourtant c'est ce que tu devras faire. Mets les pieds sur le premier barreau de l'échelle et commence à grimper, peu importe la difficulté apparente et momentanée. Alors que tu te hisses sur le barreau suivant et que progressivement tu te sors du désespoir où tu as plongé, la vie commencera à changer pour toi et tu trouveras un sens réel à la tienne, et au fait de vivre.

4 FEVRIER

Vivre une vie spirituelle ne veut pas dire être privé de tous les biens terrestres dont tu as besoin et qui rendent la vie plus facile. Cela signifie simplement que tu as l'usage de toute chose dont tu as besoin pour le bénéfice du tout et pour Mon honneur et Ma gloire. Quand tu en as fini avec une chose, quelle qu'elle soit, elle M'est rendue avec amour et gratitude, parce que tu reconnais que tout ce que tu as M'appartient. Tu verras que plus tu donnes, plus il y a de place pour d'autres choses. Accepte tout ce dont tu as besoin, mais n'essaie jamais de le posséder. Plus tu es possessif envers quoi que ce soit, plus tu as de chances de le perdre. Mes réserves sont pleines à déborder. Si tu ajustes tes valeurs, tu ne manqueras de rien. Mais souviens-toi toujours de Me mettre au premier plan, de remercier pour tout et de Me rendre ce avec quoi tu as fini.

5 FEVRIER

Quand des responsabilités te sont données, prends-les joyeusement sur tes épaules et n'en sois pas accablé. Veille à les effectuer à la lettre, et ne manque jamais de les assumer jusqu'au bout, même si, sur le moment, elles peuvent sembler difficiles et lourdes en apparence. Souviens-toi toujours que Je ne te donne jamais plus que ce que tu es capable de porter, sans te donner l'aide et la force pour le faire. Lorsque tu assumes tes responsabilités, tu grandis en stature et en force et tu deviens quelqu'un sur qui on peut compter et en qui on peut avoir confiance; ainsi Je peux te donner des responsabilités croissantes. J'ai besoin de plus en plus d'âmes en qui Je puisse avoir confiance et sur lesquelles Je puisse compter pour porter la charge. J'ai besoin que tu sois prêt et capable de le faire sans aucune crainte. Ne sois jamais, à aucun moment, un défaitiste. Tu peux faire n'importe quoi lorsque tu décides que tu en es capable, et que tu refuses même de considérer l'éventualité de l'échec. Sache simplement que tu réussiras, et tu le feras.

6 FEVRIER

Sois guidé dans tous tes actes et paroles. Apprends à être très patient et à attendre le bon moment pour tout. Sache que toute chose s'accomplira parfaitement lorsque tu Me serviras et que tu ne te précipiteras pas en avant sans guide. Il y a beaucoup de choses qui attendent de se réaliser au bon moment. Tout s'accélère, mais, néammoins, ce sera un processus de déploiement qui prendra place, car il y a une harmonie et un rythme parfait dans Mon plan. Rien ne se fait au mauvais moment, alors travaille avec, et non contre, ce processus. Si tu essayes de travailler contre lui, tu ne feras que t'épuiser et tu n'iras nulle part, ce sera comme nager à contre-courant. Soit tu n'avanceras pas tout en nageant de toutes tes forces, soit tu seras balayé en arrière par la force du courant. Evite de travailler contre ce qui est inévitable, mais apprends plutôt à collaborer, dans une paix absolue et confiant que tu fais la bonne chose au bon moment.

7 FEVRIER

Prends du temps pour sonder ton cœur. Prends-tu quoi que ce soit ou qui que ce soit comme un dû? Eprouves-tu jamais de l'ennui et un « ras le bol » envers la vie? Es-tu quelqu'un qui donne ou qui prend? Ta vie est-elle une vie de service pour tes compagnons humains ou exiges-tu certains droits pour toi-même? Tu ne peux pas t'attendre à trouver un bonheur vrai et durable à moins de donner, à moins d'être là pour servir, sans aucune exigence pour toi-même d'aucune sorte. Ce n'est que lorsque tu pourras accepter que cette vie est une vie de service, de don, de dévouement complet à Moi et à Mon service, une vie où tu t'oublies toi-même et où tu vis pour le tout, que tu pourras comprendre ce que Je veux dire lorsque Je dis que ta vie est vraiment pleine et splendide et combien tu es puissamment béni. Alors commence dès maintenant à élargir ta conscience. Commence à vivre et à travailler pour le tout, et mesure combien toute ton attitude et toute ta façon de voir vont changer.

8 FEVRIER

Réveille-toi, rafraîchi et renouvelé, attends le meilleur de ce jour splendide et reçois-en le meilleur. Détends-toi et laisse-Moi prendre les rênes. Ne commence jamais la journée stressé et plein de tension. Dors et repose-toi, renouvelle l'Esprit et revitalise-Le. Commence la journée du bon pied, le cœur débordant d'amour et de gratitude, plein de grandes attentes pour la nouvelle journée qui s'ouvre. Ce jour est sans tache, alors pourquoi ne pas le conserver ainsi? Garde ta conscience au niveau le plus élevé et vois se dérouler en ce jour les événements les plus merveilleux. C'est un nouveau jour et un nouveau chemin. Laisse hier derrière toi avec toutes ses fautes et ses manques et tourne la page. Pourquoi traîner l'ancien derrière toi dans cette nouvelle journée? Bien sûr, apprends tes leçons. Mais pourquoi demeurer sur ces leçons au point qu'elles t'accablent et t'empêchent d'entrer dans le nouveau d'un cœur léger et joyeux?

9 FEVRIER

Le nouveau ciel et la nouvelle terre sont ici et maintenant.

Il s'agit de reconnaître et d'accepter ce qui arrive, et d'élever ta conscience de façon à être pleinement conscient de tout ce qui se passe au-dedans et autour de toi. Si tu ne perçois pas tout, cela ne veut pas dire que cela ne se fait pas. Cela signifie simplement que tu l'as relégué à l'extérieur par ta propre fierté et ton arrogance qui t'ont rendu aveugle aux merveilles tout autour de toi. Donc continue à élever ta conscience. Plus haut tu l'élèves, plus clairement tu peux voir la vérité, et rien ne se met en travers pour en gâcher la pleine vision. Une fois que tu as contemplé la merveille de cette vision, fais-la descendre et vis-la; qu'elle devienne partie de ta vie de tous les jours. Si une vision n'est pas manifestée dans la forme, elle ne devient pas réalité. Je te dis de contempler Mon nouveau ciel et Ma nouvelle terre manifestés dans la forme maintenant.

10 FEVRIER

Vise haut; plus tu vises haut, mieux c'est. Même si tu n'atteins pas chaque fois cet objectif élevé, au moins te trouveras-tu étiré, à l'extrême de tes limites. Attends-toi toujours au meilleur dans la vie; visualise-toi en train de le recevoir; et remercie éternellement. Souviens-toi que Je sais ce dont tu as besoin, avant même que tu ne demandes, et que tous tes besoins sont merveilleusement comblés. Comme tu es béni de connaître ces vérités merveilleuses et d'être capable de les laisser pénétrer dans les profondeurs même de ton être, de te rendre compte des énormes changements, de la croissance et de l'expansion constantes à tous les niveaux. Tu sais que tous les bouleversements dans le monde, qui doivent se produire — car l'ancien doit s'en aller pour faire de la place au nouveau —, ne causeront aucun mal aux âmes qui ont appris à mettre toute leur foi et toute leur confiance en Moi; tu sais sans l'ombre d'un doute qu'avec Moi toute chose est possible.

11 FEVRIER

Tant que tu n'es pas prêt à Me donner de ta personne et à prendre du temps pour t'harmoniser à Moi, Je n'ai aucun canal avec lequel travailler. Souviens-toi toujours: tu dois faire ta part. Tu dois mettre les choses essentielles en premier, et ce faisant, tu ouvres toutes les portes, et Je peux accomplir merveille sur merveille en toi et à travers toi. Sans canaux, Mon travail est retardé. J'ai besoin de plus en plus de canaux libérés du « petit moi » afin qu'il n'y ait rien pour arrêter le libre flot. Je ne peux pas t'utiliser si tu ne donnes de toi-même. Je ne prends jamais rien si ce n'est donné librement. Alors donne-Moi tout, ne retiens rien, et oublie-toi complètement dans ce don. Mets-toi en phase avec la vie, en phase avec Moi et coule dans le flot avec facilité et grâce. Ne perds plus de temps à y penser, mais fais quelque chose dans ce sens dès maintenant.

12 FEVRIER

Vois un schéma et un plan parfaits en filigrane de ta vie. Rien n'est au hasard. Même si cela peut paraître très étrange, tout est dans Mon plan divin. Tu ne serais pas où tu es, à faire ce que tu fais en cet instant, si je n'avais pas étendu Ma main sur toi. Mes voies ne sont pas tes voies. Cherche toujours à faire Ma volonté. Je connais le mieux pour toi, alors pourquoi lutter contre et penser que c'est toi qui as raison? Aie foi et confiance absolues en Moi. Sache que JE SUIS toujours là et que Je ne te laisserai jamais tomber, ni ne t'abandonnerai. Tourne-toi sans cesse vers Moi. Ecoute ce que J'ai à te dire dans le silence et obéis à Mon plus léger murmure. L'obéissance ouvre toute une vie nouvelle pour toi et libère des énergies nouvelles qui ont été cachées tout au fond de toi dans l'attente d'être libérées quand tu seras prêt et voudras bien les suivre sans hésitation.

13 FEVRIER

Puise dans la source infinie de pouvoir et de force qui se trouve en toi, et tu te surprendras à faire des choses apparemment surnaturelles tout simplement parce que tu travailles avec Mes lois. Tout peut arriver, car elles sont les clés qui ouvrent toutes les portes et rendent toutes choses possibles. Reconnais-les comme Mes lois, ne manque jamais d'en rendre grâce éternellement et utilise-les pour Mon honneur et Ma gloire et pour le bénéfice du tout. Alors, de leur utilisation juste ne peuvent sortir que les plus merveilleux événements, et tous en bénéficieront. Le pouvoir, utilisé de la bonne manière, sous Ma conduite, peut changer le cours de l'histoire, créer le nouveau ciel et la nouvelle terre. Mal utilisé, il ne peut apporter que dévastation et destruction. Le pouvoir est une chose avec laquelle il ne faut pas jouer, mais que l'on doit traiter avec grand respect. JE SUIS pouvoir. Je tiens toute la création dans Ma main, et tu fais partie de ce tout. Fonds-toi avec lui, et trouves-y ta juste place.

14 FEVRIER

L'amour est dans l'air. Sens sa chaleur, sa joie, et la liberté que cela apporte. L'amour est un état d'être intérieur. Il n'est pas nécessaire d'en parler, car il s'exprime de mille et une manières: un regard, un contact, une action. L'amour est partout, mais tu dois en être conscient pour l'apprécier pleinement. L'air que tu respires est partout, mais pour toi, il va de soi sauf si tu t'arrêtes pour en prendre conscience, ainsi que de son rôle vital. Ne prends rien comme allant de soi, car faire cela enlève toute joie et tout éclat à la vie. L'amour commence modestement, puis grandit et grandit. Quand vous vous aimez vraiment les uns les autres, vous avez foi et confiance les uns dans les autres. Maintiens le flot de cet amour et ne laisse rien lui barrer le chemin. Laisse Mon amour divin couler à travers toute chose, et connais cette paix qui dépasse tout entendement.

15 FEVRIER

Le secret pour faire marcher quelque chose est de vouloir que cela marche, et d'être si positif à son sujet qu'il ne peut absolument pas en être autrement. Attaquer tout travail difficile d'une manière peu enthousiaste n'attire pas la réussite; mais lorsque c'est de tout cœur et avec un réel désir de le voir accompli, il n'en sortira que le meilleur.

Que tout ce que tu entreprends le soit « de tout cœur », du plus petit et plus ordinaire travail aux tâches les plus difficiles et les plus compliquées. Sois prêt à accepter de vrais défis dans la vie, et n'en aie jamais peur. Lorsqu'ils sont affrontés dans le bon état d'esprit et en sachant intérieurement que c'est Moi qui, travaillant avec toi, t'aidera à accomplir la tâche, tout peut arriver. Change ta façon de voir, et tu peux ouvrir la porte à un flot d'énergies très positives et très créatrices pour ton être tout entier.

Prends conscience que tu peux changer et changer très vite, mais cela dépend de toi.

16 FEVRIER

Que fais-tu à propos des choses qui ont de l'importance dans la vie? Tes valeurs sont-elles justes? Pourquoi ne pas prendre du temps pour être calme, goûter le silence, étudier tes motivations, et voir si elles sont du niveau le plus élevé? Toi seul peut le faire! Personne d'autre ne peut le faire pour toi. Cela peut même vouloir dire Me servir sans recevoir de réponse immédiate. Il est d'importantes leçons que tu ne peux apprendre qu'en étant silencieux et en Me servant, surtout si tu es une âme impatiente et exigeante. Pourquoi te disculper? Tu connais toutes les réponses en théorie. Maintenant il est temps de les mettre en pratique et de voir comment elles marchent pour toi. Tu n'apprendras jamais ces leçons d'importance vitale tant que tu ne les mettras pas toi-même à l'épreuve. Pourquoi ne pas le faire maintenant et arrêter de perdre du temps à y penser? Apprends à ajuster tes valeurs et à mettre les choses essentielles en premier. Laisse-Moi travailler en toi et à travers toi.

17 FEVRIER

Quand tu seras prêt à tout M'abandonner et à ne rien retenir, alors chacun de tes besoins sera merveilleusement comblé et ta vie coulera avec abondance, car tu ouvres les vannes lorsque tu M'abandonnes tout. Intègre cette loi dans tout ton être jusqu'à ce qu'elle fasse partie de toi, que tu vibres au rythme de toute vie et que tu saches ce que cela veut dire de faire partie du tout, d'être accordé à la globalité de la création, et donc accordé à Moi. JE SUIS le créateur de toute la création; JE SUIS la globalité de toute vie. Elève ta conscience et rends-toi compte que JE SUIS en toi, que cette globalité est là, en toi, et que rien ne peut te séparer de cette merveille, sauf ta propre conscience limitée. Pourquoi ne pas te détendre et la laisser s'épanouir? Ne laisse rien empêcher cette expansion de conscience jusqu'à ce que tu puisses accepter que JE SUIS en toi, que tu es en Moi et que nous sommes Un.

18 FEVRIER

Lorsque tu déverseras sur l'extérieur amour et compréhension, cela te reviendra au centuple. Lorsque tu déverseras critique et négativité, elles te seront aussi retournées au centuple. Ce qui est tout au fond de toi se reflètera dans ta vie à l'extérieur. Tu ne peux cacher ton insatisfaction, ton déplaisir ou ton malheur, car tôt ou tard cela fera irruption à l'extérieur comme un abcès, et il faudra le percer. Plus vite le poison est évacué, le mieux c'est. La meilleure façon et la plus rapide est de changer toute ton attitude. Remplace ces pensées venimeuses, négatives, critiques, par des pensées de l'amour le plus pur, d'harmonie et de compréhension. Cela peut être fait très vite. Tu n'as pas à te vautrer dans ton malheur et ta dépression. Tu n'as pas à perdre un temps précieux à te désoler sur toi-même. Quand tu veux changer quelque chose à ta situation, tu peux le faire immédiatement. Le changement peut venir en un clin d'œil!

19 FEVRIER

Il y a des leçons très importantes qui doivent être apprises par tout le monde dans cette vie. Par exemple, apprends à faire tranquillement ce qui doit être fait, sans te jeter dessus, et sans bruit ni fanfare. N'évacue pas ces leçons et ne pense pas que tu connais toutes les réponses et que tu n'as donc pas à apprendre des leçons si élémentaires. Regarde tout au fond de toi et ne laisse aucun orgueil spirituel t'aveugler sur tes insuffisances, car tu ne peux pas être pleinement mis à contribution lorsque tu laisses l'orgueil spirituel te barrer la route. L'orgueil peut souvent t'empêcher d'apprendre des leçons nouvelles et d'importance vitale dont tu as besoin, et il peut limiter ta croissance spirituelle. Il y a toujours quelque chose de nouveau et de merveilleux à apprendre et à intégrer, et tu ne pourras le faire que lorsque tu seras prêt à rester ouvert et à répondre à tes besoins. Cherche à les satisfaire en toute humilité et avec une profonde gratitude. Tu ne cesses jamais d'apprendre en cette vie.

20 FEVRIER

Pourquoi avoir peur de quoi que ce soit? JE SUIS avec toi, toujours. Je vais devant toi pour préparer le chemin; et il se révèlera en une vraie perfection au bon moment. Tu dois avoir foi, et ta foi doit être forte et semblable à un roc pour que tu sois capable de vivre cette vie. Ta foi s'affermit lorsqu'elle est mise en pratique. La foi n'est pas une chose dont on parle. Elle doit être vécue afin que toutes les âmes puissent voir que ce n'est pas quelque glorieux état de vie tout là-haut dans les nuages, mais que c'est quelque chose de très réel et qui fonctionne dans la vie de tous les jours. Il est tout à fait inutile de parler de la foi, ou de lire des choses à son sujet, si tu ne vis pas par elle. Cela veut dire que tu dois te jeter à l'eau et nager, et non pas te contenter de barboter dans les endroits peu profonds, les pieds rivés au fond, à essayer de te convaincre que tu sais nager. Pourquoi ne pas te mettre à l'action pour vivre cette vie pleine et splendide dès maintenant?

21 FEVRIER

Personne n'aime être blessé ou traité comme s'il n'avait pas d'importance. Personne n'aime être ignoré ou qu'on lui fasse sentir qu'il n'est ni aimé ni désiré. Alors pourquoi ne pas traiter tes compagnons humains avec amour et respect? Essaie de les comprendre et sois prêt à les accompagner un bout de chemin de plus si c'est nécessaire. Sois très tolérant, très patient et très aimant. C'est comme cela que tu aimerais être traité toi-même, alors vis comme tu souhaiterais que les autres vivent. Sois un bon exemple, mais ne le fais jamais parce que tu sens que c'est ce qu'on attend de toi. Fais-le parce que tu veux le faire et que tu désires fortement de tout ton cœur donner le meilleur de toi dans tout ce que tu fais, dis et penses. Plus ton désir est grand, plus il sera facile de le satifaire. Ne sois jamais satisfait de la médiocrité ni du manque d'enthousiasme. Veille à ce que tout ce que tu fais soit du niveau le plus élevé, à ce que tes motivations soient pures et qu'il n'y ait rien d'égoïste ni d'égocentrique dans tous tes actes.

22 FEVRIER

Sois toi-même et n'essaie pas d'imiter quiconque. Il faut de tout pour faire un monde. Je ne vous veux pas tous pareils, comme des pois dans une gousse. J'ai besoin que vous soyez tous différents, chacun faisant son travail spécifique et jouant son rôle spécifique, se fondant parfaitement dans le tout. Cela ne veut pas dire qu'il faut qu'il y ait de la disharmonie ou de la discorde parce que vous êtes tous différents. Il y a beaucoup d'instruments de musique différents dans un orchestre, et chacun a sa juste place dans le tout et s'y fond parfaitement quand il fonctionne en harmonie avec le tout. C'est lorsque les âmes individuelles prennent leurs propres orientations, sans aucune pensée ou considération pour le tout, que la discorde et le chaos apparaissent. Lorsque votre cœur sera à sa place et lorque vous vivrez et travaillerez ensemble pour le bien du tout, seul le meilleur en sortira. Ainsi donc, cesse de lutter et laisse aller. Tout ce que tu as à faire est d'être, et de laisser les choses se déployer.

23 FEVRIER

Plus tu reçois, plus tu as à donner. Ne retiens rien pour toi-même, mais donne, donne et continue à donner, et ainsi, fais de la place pour que de plus en plus de choses te remplissent. Plus tu te rends compte des changements en cours, plus tu y es ouvert, plus vite ils peuvent arriver. Ils deviennent partie de toi et tu deviens partie d'eux. Le sol a été préparé et les graines ont été semées. Maintenant c'est le temps de la croissance, de l'expansion et de la floraison, et c'est cela qui est en train de se passer en ce moment. Contemple la merveille et la beauté de tout cela. Vois de plus en plus d'âmes s'éveiller et devenir conscientes de ce qui est en train d'arriver. Il y a une extraordinaire poussée en avant. Les voies de l'Esprit commencent à devenir une réalité vivante pour le plus grand nombre. Vis selon l'Esprit, marche dans les voies de l'Esprit et deviens un avec toute vie.

24 FEVRIER

Ce qui est juste pour une âme peut ne pas l'être pour une autre. C'est pourquoi il est important que tu recherches ta propre direction intérieure et agisses en accord avec elle sans essayer de suivre les pas de qui que ce soit d'autre. Tu as la liberté du choix, car J'ai donné à tous les êtres humains le libre arbitre. Tu n'es pas comme une marionnette qui ne peut bouger sans que l'on en tire les ficelles. Tu peux chercher et trouver ce qui est juste pour toi; ce que tu en fais dépend de toi. Tu ne trouves la vraie paix du cœur et de l'esprit que lorsque tu suis ce que tu sais être juste pour toi; alors, cherche et continue à chercher jusqu'à ce que tu aies trouvé ta voie spécifique, puis suis-la. Cela peut vouloir dire te tenir debout tout seul et faire quelque chose d'étrange pour les autres, mais ne te laisse pas effrayer. Fais toute chose parce que tu sais intérieurement que c'est juste pour toi et que seul le meilleur en sortira.

25 FEVRIER

Vois chaque difficulté comme un défi, un pas en avant, et ne sois jamais abattu par quoi que ce soit ou qui que ce soit. Avance sans cesse, et sache que la réponse te sera révélée quand tu persisteras et persévèreras. Sois fort et aie beaucoup de courage, avec la certitude d'y arriver, quoi qu'il puisse se passer. Il n'est pas possible de faire marche arrière à ce stade. Toutes les portes se sont fermées et bloquées derrière toi, alors tu dois avancer. Le temps se fait court, et il y a beaucoup à faire. Tu as ton rôle à jouer dans le plan global. Trouve ta juste place dans ce plan, car si tu connais ta place, tu peux être en paix et faire ce qui doit être fait en toute confiance. C'est un plan merveilleux, un plan splendide, alors n'aie aucune peur en y prenant part. Donne simplement le meilleur de toi-même et aide ainsi à ce que ce plan s'accomplisse aussi vite que possible, et regarde-le se déployer à la perfection.

26 FEVRIER

Il y a des moments où le nouveau se déploie si progressivement que tu n'es pas conscient des changements jusqu'au jour où tu vois que tout est arrivé sans que tu t'en sois rendu compte. A d'autres moments tu peux voir les changements se produire sous tes yeux alors que, pas à pas, ils prennent place. Et puis il y a des moments où les choses arrivent d'un seul coup, un peu comme lorsqu'en hiver tu te couches un soir comme les autres, et qu'à ton réveil, le matin, tout est couvert de neige. Tu n'as rien eu à faire pour cela; tout est arrivé de façon miraculeuse. Le nouveau sera révélé de beaucoup de manières différentes. Tout ce que tu as à faire est d'accompagner le mouvement et de ne pas y résister. Le changement n'est pas nécessairement douloureux. Il est inévitable car rien ne peut demeurer inchangé; et si tu regardes bien dans ton cœur, ce n'est pas ce que tu souhaiterais.

27 FEVRIER

Tu dois reconnaître ta liberté afin de pouvoir voler spirituellement à de grandes hauteurs. Sinon, tu es comme un oiseau en cage qui, même lorsque la porte est grande ouverte et qu'il est libre de voler où il veut, ne remarque pas sa liberté et continue à voleter dans sa cage, n'allant nulle part. Tu peux traverser ta vie entière comme cet oiseau, captif et complètement aveugle, sauf si tu reconnais ta liberté, que tu l'acceptes et l'utilises comme elle devrait être utilisée, dans les domaines de l'Esprit, où il n'y a aucune limitation, frontière ou barrière pour te retenir. Tous les êtres humains sont libres, si seulement ils voulaient bien le reconnaître et l'accepter. Cette liberté t'est offerte, mais tu dois l'accepter avant de pouvoir l'utiliser. Pourquoi ne pas accepter ta liberté dès maintenant, et prendre conscience que tu n'es lié à personne ni à rien, et que tu peux faire tout ce que tu désires?

28 FEVRIER

Laisse-toi aller et installe-toi en ce royaume qui est déjà là mais qui attend d'être reconnu et réclamé par de plus en plus d'âmes. Tu pries pour que Mon royaume vienne, pour que Ma volonté soit faite sur la Terre; maintenant cesse de prier dans ce sens et vis-le. Les prières sans la foi sont vides. Tu dois apprendre à prier en croyant de tout ton cœur, de tout ton esprit et de toute ton âme, afin que tes prières, quelles qu'elles soient, soient très réelles et très concrètes, et tu dois savoir sans aucun doute qu'il y est répondu. Ne limite rien. Il n'y aucune limitation dans Mon royaume, et Mon royaume est arrivé, et dans Mon royaume tout est possible. Apprends à vivre au-delà de toi-même et de tes limitations très humaines. Vis dans les domaines de l'Esprit où tu peux faire toute chose en Moi. Je te donne de la force et te soutiens, alors sache que JE SUIS avec toi, toujours. Comment peut-il en être autrement, puisque JE SUIS en toi?

29 FEVRIER

Toute âme a besoin de se retirer du monde de temps à autre pour trouver la paix qui dépasse tout entendement. Toute âme a besoin d'être pacifiée, et cela ne peut se faire que dans le calme et le silence. Une fois cette stabilité intérieure établie, tu peux aller n'importe où et faire n'importe quoi; le chaos et la confusion extérieurs ne t'affecteront d'aucune manière. Aimes-tu être dans le silence, ou es-tu mal à l'aise dans le calme? Te trouver dans le silence provoque-t-il agitation en toi, et aspires-tu au bruit et à l'action tout autour de toi? Veux-tu toujours être actif, et as-tu du mal à calmer ton corps et ton esprit? Il y a des millions d'âmes dans le monde qui ne peuvent supporter le silence; il leur faut constamment être baignées de bruit et d'action. Elles sont agitées au-dedans et au-dehors. Je te le dis, les moments de paix et de silence sont très précieux dans un monde en tumulte. Recherche-les, trouve-les et demeure en eux.

MARS

Un moulin à vent me fut montré.
Un grand vent soufflait et les ailes tournaient
à grande vitesse. Puis le vent tomba et
les ailes cessèrent de tourner, car elles dépendaient
entièrement du vent pour leur mouvement.
J'entendis les mots:

Ne mets pas ta sécurité dans les choses
de cette vie, mais mets ta sécurité en Moi,
la source de tout pouvoir et de toute force
tout au fond de toi.

1er MARS

Attends-toi à un miracle! Attends-toi à ce qu'il arrive miracle sur miracle, et ne mets aucune limite d'aucune sorte. Plus tu es ouvert, mieux c'est, car alors rien ne se met en travers du chemin pour arrêter le cours de Mes lois, car les miracles sont simplement Mes lois en action. Va dans le sens de ces lois, et tout peut arriver. Vois la perfection de Mon plan se déployer! Il n'y a pas d'urgence, ni de précipitation. Lorsque quelque chose se déploie, cela peut se faire très vite, mais dans une paix et une sérénité totales, au bon moment et avec précision. N'aie peur de rien, car il n'y a rien à craindre quand ta foi et ta confiance sont en Moi. JE SUIS en toi, alors vois la perfection de Mon plan advenir au-dedans de toi et au-dehors. Tout commence de l'intérieur et se fraie un chemin vers l'extérieur; donc ne laisse rien en toi empêcher sa progression. Laisse tout venir, et contemple le nouveau ciel et la nouvelle terre!

2 MARS

Beaucoup d'âmes parlent de foi, mais oublient de vivre selon la foi. Elles parlent de M'aimer, mais ne connaissent pas le premier mot de l'amour. Parler d'aimer quelqu'un que tu n'as jamais vu est une perte de temps, alors que tu es incapable d'aimer les âmes qui sont tout autour de toi et qui ont besoin de ton amour, de ta sagesse et de ta compréhension. Apprends d'abord à aimer ces âmes que j'ai placées dans ton entourage immédiat; alors tu sauras ce que ça veut dire de M'aimer vraiment. Pourquoi traverser la vie en tâtonnant alors que tout ce que tu as à faire est de marcher fermement, à grandes enjambées, avec foi et confiance, en sachant que JE SUIS avec toi? JE SUIS là, et je t'offre tous mes dons parfaits et bons, mais si tu ne veux pas les accepter, tu ne peux pas en bénéficier. Je te les donne librement; tu dois les accepter librement, et puis en user sagement pour le bénéfice du tout.

3 MARS

Tu dois te préparer à de merveilleux changements dans le Nouvel Age! Si tu peux les accepter et les absorber simplement, comme un buvard, ils se réaliseront en toi et autour de toi dans une grande paix et une grande harmonie. Tu verras que tu te transformeras avec ces changements sans en être excessivement affecté et que tu vivras, bougeras et respireras en eux aussi naturellement qu'un poisson dans l'eau. Tu seras capable d'accepter ton nouvel environnement et de t'y ajuster parfaitement, sans aucun effort. Un enfant passe du jardin d'enfants à l'école primaire et de l'école primaire à l'école secondaire sans aucune difficulté, parce qu'il le fait dans la foulée et avance pas à pas, acceptant chaque nouveau sujet et nouvel ajustement comme il vient. Il ne pourrait pas passer directement du jardin d'enfants au secondaire, car il serait complètement perdu. Ne t'inquiète pas; Je ne te ferai pas bouger trop rapidement. Mes plans se réalisent au moment juste.

4 MARS

Que de temps et d'énergie gâchés parce que tu ne prends ni le temps ni la peine d'être en paix et de Me servir. C'est la solution secrète à toute situation. Pourquoi ne pas te le prouver à toi-même en mettant cela en pratique pour voir comment ça marche? Tant que tu n'essaies pas quelque chose pour le mettre à l'épreuve, cela reste de la théorie. Cette vie est une vie très réelle, très pratique, une vie d'action. Elle n'a rien de théorique, mais ça dépend de toi de faire quelque chose qui prouve que c'est ainsi. La lumière du jour est là, mais tant que tu n'ouvres pas les rideaux, tu demeures dans l'obscurité. L'eau est dans la conduite, mais tant que tu n'ouvres pas le robinet, l'eau ne coule pas. La nourriture peut être sur ton assiette, mais si tu ne la mets pas dans ta bouche pour la manger, elle ne t'apporte rien. Alors commence à agir et fais-le maintenant!

5 MARS

Pense globalement, sois et manifeste le tout dans ta vie! Pour être une personne complète, tu as besoin de te connaître, de savoir où tu vas et de savoir ce que tu fais, puis va de l'avant en confiance et vis une vie globale, splendide et pleine. Ne doute jamais de toi et de ta capacité à être complet. Ce sont les doutes, les peurs et les inquiétudes qui t'empêchent d'établir le tout; alors cesse de t'inquiéter, et bannis toutes craintes et doutes, dans la certitude que JE SUIS avec toi, toujours et qu'avec Moi toute chose est possible. Mais souviens-toi, fais toujours reposer ta foi et ta confiance en Moi, le Seigneur ton Dieu, la divinité en toi. Marche main dans la main avec Moi; consulte-Moi à tout moment; et laisse-Moi te guider et te diriger. JE SUIS au-dedans de toi, donc rien d'extérieur ne peut interférer avec notre contact direct. Que cela te sécurise. Si ta sécurité est en Moi, tout est vraiment très, très bien.

6 MARS

Tu ne peux penser qu'une seule chose à la fois. Donc veille à ce que cette pensée sois constructive, positive et aimante, et alors tu verras que tu dis des choses contructives et agis de façon aimante. En fait toute ta façon de voir sera positive et ta vie sera remplie d'amour, de joie, de bonheur, de santé, de succès et d'harmonie. Quand tu es un tant soit peu sensible et que tu as des pensées négatives et destructrices, elles sapent ton être entier. Ton regard s'obscurcit et tu te sens déprimé et même physiquement malade.

Essaie de comprendre que tu attires cet état sur toi-même par ta façon erronée de penser. Change-la et tu changeras tout! Tu peux imaginer que tu es entouré de nombreuses difficultés et que le monde tout entier est à blamer pour ton état d'esprit négatif, mais est-ce vrai? Tes pensées ne t'appartiennent-t-elles pas? N'es-tu pas libre d'élever ta conscience et d'avoir des pensées aimantes, positives, constructives qui créent ton bien-être? Le choix repose toujours entre tes mains.

7 MARS

Tu ne peux espérer créer la paix et l'harmonie dans le monde tant que tu n'as pas trouvé la paix et l'harmonie en toi. Tu dois commencer par toi-même. Tu dois commencer de manière modeste et la laisser grandir et s'épanouir. Un puissant chêne commence par un gland minuscule, et pourtant ce gland minuscule contient tout. Tu abrites la paix du monde en toi, alors pourquoi ne pas la laisser croître et s'élargir au-dedans jusqu'à ce qu'elle ne puisse plus être contenue et éclate au dehors, apportant la paix et l'harmonie dans le monde? Cela commence en toi, alors reconnais consciemment le rôle d'importance vitale que tu as à jouer pour aider à apporter la paix et l'harmonie dans le monde. Ne te mets jamais en retrait et ne blâme personne d'autre que toi pour l'état du monde, mais mets-toi à agir et fais toi-même quelque chose. Maintenant, sois parfaitement en paix alors que tu fais Ma volonté et marche dans Mes chemins, en Me glorifiant.

8 MARS

Tu es en ce monde pour y apporter le bien. Tu es ici pour rayonner l'amour, la lumière et la sagesse vers toutes les âmes dans le besoin. Tu as du travail à faire, et tu ne peux faire ce travail que lorsque tu t'es mis au clair et que tu peux être uni au tout, quand tu ne te mets plus à part, ne critiques plus et ne te sépares plus du tout.
Te sens-tu faire un avec toutes les âmes autour de toi? Te sens-tu en paix avec le monde, ou tes pensées sont-elles créatrices de conflit, critiques et destructrices? Souviens-toi toujours: l'amour, la joie et le bonheur créent l'atmosphère juste et rassemblent toutes les âmes semblables. Alors surveille-toi, et commence dès maintenant à n'attirer vers toi que le meilleur. Tu peux changer totalement et en un clin d'œil ton attitude et ta façon de voir. Pourquoi ne pas le faire? Accorde-toi avec toute vie, et trouve cette paix qui dépasse tout entendement.

9 MARS

Si tu apprends à donner aux autres en les servant, cela t'ouvre le cœur et le maintient ouvert. Plus tu donnes librement et joyeusement, plus tu débordes d'amour et plus tu l'attires. Plus tu donnes d'amour, plus tu en recevras. C'est la loi. Ne sois jamais découragé si l'amour ne t'est pas rendu immédiatement. Sache simplement que tôt ou tard il le sera, et donc fais en sorte que l'amour coule sans cesse car l'amour n'accepte jamais « non » comme réponse. L'amour n'est jamais battu. L'amour n'est pas comme un escargot; il ne se retire jamais dans sa coquille quand on le repousse ou le rejette. Il tend l'autre joue et continue à aimer. Peux-tu en faire autant?
Tu ne peux pas le faire avec tes propres forces, mais avec Moi tu peux faire n'importe quoi. Recherche Mon aide à tout moment et Je ne te ferai jamais défaut. Tu verras que tu peux aimer, aimer et continuer à aimer sans aucune difficulté.

10 MARS

Pourquoi ne pas utiliser ce qu'il t'est donné d'utiliser? A quoi bon avoir une lumière électrique si tu ne l'allumes pas pour emplir ta chambre de lumière? Pourquoi ne pas te tourner sans cesse vers Moi pour recevoir aide et force, et utiliser tous ces dons merveilleux qui sont là à t'attendre? Cesse de lutter tout seul, car lorsque tu Me connaitras et M'aimeras, tu voudras être toujours conscient de Moi et de Ma présence divine. Tu voudras marcher dans la lumière, car là où il y a lumière, il n'y a plus d'obscurité. Tu génères de la lumière par ta façon positive, constructive d'être et de vivre; ainsi donc ne laisse rien de négatif en toi réduire cette lumière. Tu peux avoir besoin de le faire consciemment jusqu'à ce que toute négativité disparaisse et que tu apprennes à vivre tout le temps positivement. Cela peut être un réel effort pour toi au début, mais progressivement cela deviendra aussi naturel pour toi que de respirer.

11 MARS

Travaille avec Mes lois, non contre elles. Lorsque tu travailles contre elles tu mènes un combat perdu d'avance et tu n'iras nulle part. Si tu as des tensions, recherche en toi et découvre ce contre quoi tu luttes et qui cause ces tensions. Tu peux être sûr qu'il y a quelque chose là qui arrête ta progression et t'empêche d'atteindre ton bien le plus élevé. Que ton seul désir soit de faire Ma volonté et de marcher dans Mes chemins, et ne laisse rien se mettre en travers de ta route et empêcher Ma volonté de se faire. Quand tu prendras du temps pour chercher, tu sauras quelle est Ma volonté pour toi, et alors il ne tiendra qu'à toi d'y obéir sans hésitation. Quand tu travailleras et vivras en harmonie, tu sauras ce que la vraie liberté veut dire, la liberté du cœur, du mental et de l'Esprit. Tu te surprendras à rayonner une sagesse et une compréhension inconnues. Quand tu es dans cet état de conscience, Je peux t'utiliser pour aider à faire descendre le nouveau ciel et la nouvelle terre.

12 MARS

Sache sans l'ombre d'un doute que tu es parfait, comme JE SUIS parfait, et qu'il n'y a aucun défaut en toi. Commence dès maintenant à voir le meilleur en toi-même, et, de ce fait, tire le meilleur de toi-même. Il est là au plus profond de toi, mais il est devenu si dissimulé qu'il est difficile à voir. Quand tu prendras du temps pour réaliser que nous sommes un, tu verras le meilleur en toi-même, tu cesseras de te dévaloriser et banniras toutes les fausses images de ton vrai soi. Répète-toi sans cesse, toujours et encore: « moi et mon Bien-Aimé sommes un », jusqu'à ce que cela signifie quelque chose pour toi.
Lorsque tu te sens très bas, répète-toi cela tranquillement, et sens-toi sortir progressivement de cette enveloppe de dépression et de pitié pour toi-même. Continue jusqu'à ce que tu connaisses la réalité de ces mots et que tu voies la globalité de toute vie et saches que tu fais partie de cette vie.

13 MARS

« Sois transformé par le renouvellement de ton esprit ». Un serpent ne peut pas grandir sans abandonner son ancienne peau. Un poussin ne peut émerger de sa coquille sans la briser. Un bébé ne peut naître sans émerger du sein de sa mère. Ces processus naturels doivent advenir pour apporter le changement. Pas à pas, ils prennent place, et rien ne peut les arrêter. Si le poussin n'a pas la force d'émerger de sa coquille, il mourra. Il y a un moment juste pour tout. Tu peux essayer d'empêcher les changements de se faire parce que tu te sens en sécurité où tu es et que tu préfèrerais rester dans les limites de ce que tu connais plutôt que de sortir dans l'inconnu, mais dans ces limites tu étoufferas et mourras. Essaie de comprendre et accepte le besoin de changer pour tout ce qui se met en place en ce moment. Elève ton cœur, rends grâce pour ces changements, et deviens-en partie intégrante.

14 MARS

Ton travail est de créer le nouveau ciel et la nouvelle terre. Donc ne t'attarde pas sur les troubles et les tribulations, sur la maladie et la souffrance, sur les guerres et les conflits dans le monde. Ne te laisse pas contaminer, car dans ce cas, tu procèderas de la maladie et non de la guérison. En élevant ta conscience, tu t'immunises contre le trouble dans le monde, tu peux vivre et travailler alors qu'il est tout autour de toi, et pourtant il ne pourra ni te toucher ni t'affecter d'aucune manière. Un docteur ou une infirmière doivent être immunisés pour pouvoir travailler librement avec des malades hautement contagieux, et il ne doit exister aucune crainte en eux. Qu'il n'existe aucune crainte en toi alors que tu regardes la situation du monde empirer. Ne désespère jamais. Simplement tiens bon dans la foi, laisse ton esprit reposer en Moi, et sache que tout est très, très bien.

15 MARS

Tout en avançant dans le nouveau, aie pleinement conscience de Moi et de Ma divine présence à tout moment, et que ton mental se repose sans cesse sur Moi. Cela t'aidera à rester dans un état élevé de conscience afin de pouvoir avancer sans aucune difficulté. Fais-Moi entrer dans tout ce que tu fais, dis et penses. Partage tout avec Moi. Quand tu n'as rien à cacher, tu connais la vraie liberté de l'Esprit. J'ai besoin que tu sois libre, afin que Mes merveilles puissent se déployer devant toi sans que rien en toi ne les freine. Beaucoup de choses attendent leur épanouissement; cela ne fait que commencer. Imagine les merveilles et les beautés, auxquelles on n'a pas encore rêvé, qui attendent de se révéler. Ce sera comme pénétrer dans un nouveau monde avec de nouvelles méthodes, de nouvelles lois, de nouvelles idées. Garde tes vues élevées. Garde la vision du Nouvel Age toujours devant toi. Tu te surprendras à y entrer très naturellement, et il deviendra une partie de toi.

16 MARS

Qu'il n'y ait aucun sentiment de compétition entre vous. Quand vous prendrez conscience que chacun a un rôle spécifique à offrir au tout, cet esprit de compétition disparaîtra et vous pourrez vous détendre et être vous-mêmes. Commme la vie devient plus simple quand tu cesses d'essayer d'être quelque chose que tu n'es pas! Tu as ton rôle à jouer dans le tout, alors joue-le au mieux de tes capacités. Je vous dis de vous aimer les uns les autres. Le fais-tu ou, par simple tolérance, te donnes-tu des excuses en disant qu'il y a certaines âmes avec lesquelles tu ne peux pas te fondre, vu que vous êtes à des lieues l'une de l'autre? Vous êtes tous mes bien-aimés, et plus vite vous en prenez conscience, mieux ce sera, car vous êtes tous sous Mon regard, et Mon amour coule vers chacun de la même manière. Lorsque vous pourrez aussi accepter le fait que vous faites un avec Moi, vous pourrez accepter que vous faites un les uns avec les autres.

17 MARS

Tu ne peux pas avoir toute la connaissance et toute la sagesse sans que cela se déploie progressivement de l'intérieur. La vie est un déploiement constant. Quand tu étais enfant, tu as dû apprendre certaines leçons fondamentales. Quand tu as approché ta main du feu, on t'a dit que c'était chaud et que tu te brûlerais. Mais si tu n'as pas obéi, si tu n'en a fait qu'à ta tête et touché le feu, tu t'es brûlé et tu as trouvé cela très douloureux. Cependant, tu as appris à ne plus t'en approcher. Dans cette vie spirituelle, tu dois apprendre certaines leçons fondamentales et, si tu n'y adhères pas, tu dois en assumer les conséquences. Certaines personnes apprennent très vite et sont prêtes à passer à des leçons plus importantes, jusqu'à ce que finalement elles se trouvent tellement en harmonie qu'elles n'ont plus de leçons à apprendre mais coulent avec la vie, parfaitement unies à toute chose. C'est l'état de conscience ultime qui doit être atteint par tous.

18 MARS

Y a-t-il de ton cœur dans ce que tu fais? Tu ne peux créer le nouveau ciel et la nouvelle terre si ce que tu fais est dépourvu du sceau de l'amour et de la consécration. Fais en sorte que tout ce que tu fais soit fait pour Mon honneur et Ma gloire. Alors tu désireras le faire parfaitement. Souviens-toi: ne fais jamais un travail parce qu'il « doit » être fait. Si telle est ton attitude, alors, avant même de commencer, va-t'en seul, recherche la grâce et harmonise-toi. Lorsque ton attitude a changé et que tu te sens en paix et en harmonie, alors va et fais-le. Tu verras que lorsque ton attitude est juste, tu seras non seulement capable de le faire parfaitement, mais tu pourras aussi le faire plus rapidement. Plus il y aura d'âmes capables de faire ce qui doit être fait dans le bon esprit, plus vite Mon ciel sera établi sur terre.

19 MARS

Sois comme un livre ouvert, qui ne cache rien, chaque page offerte à la lecture de tous. Lorsque tu n'as rien à cacher, tu sais ce que c'est d'être complètement libre et sans entraves. Partage ce qui est dans ton cœur et n'aie aucune crainte d'être ridiculisé. Demeure très conscient de Moi et de Ma présence divine, et sois aussi simple qu'un petit enfant. La simplicité est le sceau de cette vie spirituelle; elle n'a rien de compliqué. Si tu sens qu'elle l'est, c'est de ton fait; donc change ton attitude et vois ce qui se passe. Ne perds plus de temps à courir après des chimères. Tout ce dont tu as besoin est tout au fond de toi, prêt à se déployer et à se révéler. Tout ce que tu as à faire est d'être tranquille et de prendre du temps pour rechercher ce qui est en toi, et tu le trouveras sûrement. La réponse est là. Sois très patient, sers-Moi, et tout te sera révélé au bon moment.

20 MARS

Ce que tu penses, ce que tu fais, et la façon dont tu te conduis peuvent avoir un effet extraordinaire sur l'état du monde. Commence donc dès maintenant à regarder le côté positif de la vie, en cherchant le meilleur dans chaque situation. Si tu regardes assez profondément, tu le trouveras; il est là, mais parfois il est caché au point de sembler perdu.

Sache que toutes choses concourent au bien, pour les âmes qui M'aiment vraiment et Me mettent au premier plan. Ta foi doit être forte et inébranlable. Tu dois vouloir t'accrocher, peu importe combien la situation peut sembler sombre et lourde. Il peut même être nécessaire de la voir empirer avant de s'améliorer. Sache simplement que tout s'accomplira en une vraie perfection, au bon moment, et que tout est entre Mes mains. Prends conscience que JE SUIS partout et en toute chose, qu'il n'existe aucun lieu où JE ne SUIS pas, et que le but ultime est la perfection.

21 MARS

Le printemps est là! Le Nouvel Age est là! Eveille-toi de ta somnolence et contemple la merveille du temps présent car tu vis une époque vraiment merveilleuse. Vois le meilleur en tout événement. Attends-toi à des changements et va dans leur sens, ne permets à rien en toi les arrêter. Ne crains jamais le nouveau, l'inconnu, mais risque-toi sans peur, sachant que JE SUIS avec toi, toujours, et que Je ne te laisserai jamais, ni ne t'abandonnerai. Reconnais-Moi en tout, et rends-Moi l'honneur et la gloire. Sache que c'est dans l'Age d'Or que tu es en train de passer, alors ne t'inquiète pas, et ne lutte pas contre les changements qui apparaissent. L'heure la plus sombre vient avant l'aurore splendide. L'aurore est là; elle vient en son heure juste, et rien ne peut l'empêcher d'arriver. La totalité de l'univers fonctionne dans ce rythme parfait, alors pourquoi pas toi?

22 MARS

Si tu aspires à faire la chose juste et à prendre le bon chemin, tu le feras. Il te faut être fort pour résister aux tentations qui peuvent encombrer ton chemin et les reconnaître pour ce qu'elles sont. Chaque tentation surmontée te donne une force et une stabilité intérieures plus profondes, et te rendent capable de faire face à n'importe quoi sans vaciller. Mes desseins sont très étranges, mais rappelle-toi que Je vois la totalité de l'image, alors que tu n'en vois qu'une si petite portion. Je vois tous les acteurs dans le théâtre de la vie; tu ne vois que les plus proches. Un par un Je leur montre le chemin, et ils le suivent et prennent leur rôle dans le vaste plan général; et ainsi le plan est réalisé à la perfection. Regarde-le se déployer, et exulte face à une telle merveille. Accepte-le tout entier d'un cœur plein et reconnaissant, et vois Ma main en tout ce qui se met en place.

23 MARS

Pourquoi ne pas commencer dès maintenant à penser en terme d'abondance? Prends conscience qu'il n'y a aucune vertu dans le fait d'être pauvre. Je veux que tu comprennes que l'argent en tant que tel n'est ni bon ni mauvais; il est, simplement. Il est là pour être utilisé, et doit être mis en circulation et non accumulé. C'est de la puissance et la puissance doit être manipulée avec sagesse. L'électricité aussi est de la puissance, et tu ne la manipules pas n'importe comment, car cela te détruirait. Alors pourquoi manipuler l'argent d'une façon irresponsable? Quand tu peux accepter la vraie liberté de l'Esprit, tu peux te débarrasser de tout sens de limitation, tout sens de manque. Apprends à utiliser tout ce que tu as avec sagesse, en comprenant que tout ce que Je te dispense doit être utilisé pour Mon honneur et pour Ma gloire et que tu dois être un bon gestionnaire de tous Mes dons parfaits.

24 MARS

N'essaie pas de regarder trop loin devant ou de faire des plans trop longtemps à l'avance car, dans ce cas, ils pourraient bien changer. Il serait préférable de permettre à toute chose de se déployer, et tu verras que cela arrivera bien plus vite que tu ne peux l'imaginer. Ne sois pas impatient; attends-Moi, simplement, et vois toute chose s'ouvrir de façon merveilleuse. Mais cela doit se faire au bon moment. Quand l'hiver s'installe, tu crois toujours qu'il ne finira jamais, mais avant que tu réalises ce qui est en train d'arriver, le printemps commence à surgir presque sans que tu t'en aperçoives. C'est le même processus avec le nouveau. Comme le printemps, il est là, et l'hiver, l'ancien, est fini. Mais peut-être ne l'as-tu pas pleinement compris ou accepté, et tant que ce ne sera pas le cas, tes yeux ne s'ouvriront pas sur cette merveille. Ouvre les yeux et ne manque rien de ce qui est en train de se passer en ce moment.

25 MARS

Comme de plus en plus d'amour est libéré dans le monde, une guérison merveilleuse s'opère. C'est comme du baume versé sur les plaies; il guérit et reconstitue. L'amour part de l'individu. Il commence en toi, et il grandit comme une graine qui éclôt, révélant une grande beauté et la globalité. C'est ce qui est en train de se faire en ce moment. Beaucoup d'âmes sentent que quelque chose est en train de leur arriver, mais elles sont perplexes et ne se rendent pas compte de ce que c'est. Elles cherchent à l'extérieur, espérant trouver une clé qui leur montrera ce qui se passe. D'autres âmes sentent un appel mais ont peur de ce qu'elles ressentent, car c'est nouveau, étrange et inconnu, et elles essaient de le rejeter. Rien ne pourra arrêter cette libération d'amour. C'est comme le génie de la bouteille: une fois libéré, on ne peut plus l'enfermer à nouveau. Cela ne peut pas être caché ni ignoré. Progressivement, cela commencera à se révéler en chacun. C'est arrivé pour durer.

26 MARS

Il y a toujours un nouvel échelon à gravir. Ne vacille pas, mais avance et monte, et cherche toujours à atteindre le plus élevé. La vie est mouvement; elle est changement; elle est croissance. Aucune âme ne peut rester dans le même état tout le temps. La nature ne peut rester statique; elle change et s'élargit toujours, progressant d'une étape à la suivante. Le gland croît en un chêne puissant; le bulbe grandit et produit de belles fleurs; la graine de maïs produit le plant. Le changement est permanent. S'il ne se fait pas en toi, tu peux être sûr qu'il y a quelque chose qui ne va pas, et il est nécessaire que tu trouves ce que c'est et puis que tu y remédies. Ne résiste pas au changement, mais va dans son sens et acceptele. Ce ne sera pas toujours confortable, mais sois prêt à accepter un inconfort minime afin que le resplendissant nouveau puisse se développer en toi et à travers toi, te transformant en un nouvel être, rempli de lumière, d'amour et d'inspiration.

27 MARS

Que la paix soit avec toi. Faire un avec Moi c'est être en paix, car la paix commence tout au fond de l'âme, puis se reflète à l'extérieur. Alors quand tu as trouvé la paix et la stabilité intérieures, tu peux aller n'importe où et résister à n'importe quoi. Tu peux même marcher dans la vallée des ténèbres de la mort et ne rien craindre, car avec cette paix intérieure viennent la sérénité et la tranquillité que rien ni personne ne peut troubler ni détruire.

Si tu reconnaîs et acceptes ta vraie relation avec Moi, et si tu le fais aussi simplement qu'un enfant, sans aucune complication, alors ta vie sera remplie de joie et de gratitude. Alors aucune peur ne pourra entrer, et tu vivras une vie enchantée et pleinement protégée, car là où il n'existe aucune crainte, il y a protection complète. C'est la peur qui ouvre la porte au danger et te rend vulnérable. Alors bannis la peur, laisse Ma paix et Mon amour te remplir et t'envelopper, et rends grâce éternellement.

28 MARS

JE SUIS Esprit. JE SUIS partout. JE SUIS en tout. Il n'existe nulle part où JE ne SUIS pas. Lorsque tu en prends pleinement conscience et que tu peux l'accepter, tu sais que le royaume des cieux est au-dedans de toi; tu peux cesser ta quête et te tourner vers l'intérieur. Alors tu trouves en toi tout ce que tu cherches. Combien peu d'âmes font ainsi aujourd'hui. Elles sont beaucoup trop occupées à chercher les réponses partout sauf à l'intérieur. Lorsque tu accepteras que JE SUIS en toi, tu ne te sentiras plus jamais seul; tu n'auras plus jamais à rechercher au-dehors la réponse à tes problèmes. Mais quand quelque chose posera problème, tu rechercheras cette paix et cette tranquillité intérieures, tu déposeras tes questions et tes problèmes devant Moi, et Je te donnerai les réponses. Alors il faut que tu apprennes à obéir et à suivre exactement ce que Je te révèle de l'intérieur. Tu dois apprendre à vivre selon Ma parole et non pas seulement l'entendre.

29 MARS

Garde ta vie aussi simple que possible et jouis à plein des merveilles et des beautés simples qui sont là pour être partagées par tous, mais qui sont si souvent prises comme allant de soi. Sois comme un enfant, capable de voir et d'apprécier dans la vie ces petites merveilles insignifiantes en apparence: la beauté d'une fleur, le chant d'un oiseau, la gloire d'un lever de soleil, les gouttes de pluie coulant le long d'un carreau. Elles sont simples et pourtant si belles quand tu les regardes avec des yeux qui voient vraiment, quand tu cesses de traverser la vie avec une telle précipitation que tu oublies de les remarquer. Vois-tu Mes merveilles et Mes beautés tout autour de toi? Ou est-ce que ton esprit est si préoccupé par les soucis quotidiens que tu es aveugle, sourd et accablé, et que tu ne vois rien, tellement tu es refermé sur toi-même? Pourquoi ne pas essayer, aujourd'hui, de rester constamment attentif à ce qui se passe autour de toi?

30 MARS

Rien n'est le fruit du hasard. Il y a un dessein et un plan parfaits sous-jacents à toute vie, et tu fais partie de cette globalité; tu fais donc partie de ce dessein et de ce plan parfaits. Lorsque tu vois d'étranges choses se passer et que tu te demandes pourquoi elles t'arrivent, prends du temps pour voir comment tout cela s'articule, et tu verras qu'il y a une raison à toute chose. Les raisons peuvent te surprendre, mais sois prêt néanmoins à les accepter et à apprendre au travers elles, et ne lutte pas contre elles. La vie devrait se dérouler sans effort. Une fleur ne lutte pas pour s'épanouir au soleil, alors pourquoi devrais-tu lutter pour t'épanouir par la grâce de Mon amour infini? Si c'est le cas, cela vient de toi, et cela ne fait pas partie de mon dessein et de mon plan parfaits pour toi. La simplicité est Mon sceau, alors garde la vie simple. Reste sans cesse en contact avec Moi, et regarde-toi te déployer dans Mon amour.

31 MARS

Lorsque tu seras en accord avec la vie, tu verras que tu fais toute chose au bon moment. Tout ce que tu as à faire pour t'harmoniser est de prendre du temps pour entrer en silence et trouver le contact direct avec Moi. C'est pourquoi ces moments de paix et de silence sont d'une telle importance vitale pour toi, bien plus importants que tu ne le crois. Un instrument de musique, lorsqu'il est désaccordé, crée la disharmonie; il en est de même pour toi. Un instrument de musique doit rester accordé; toi aussi, et tu ne peux l'être à moins de prendre du temps pour être en silence. Cela ne peut se faire quand tu t'agites dans tous les sens, pas plus qu'un instrument de musique ne peut être accordé pendant qu'on en joue. C'est dans le silence que les notes peuvent être écoutées et réajustées. C'est dans le silence que tu peux entendre Ma petite voix tranquille, et que Je peux te dire ce qu'il faut faire.

AVRIL

Un oisillon qui apprenait à voler me fut montré.
Ses premiers efforts étaient médiocres.
Mais au fur et à mesure qu'il utilisait ses ailes,
elles gagnèrent en vigueur jusqu'à ce qu'il ait trouvé
la liberté du vol et soit capable de planer
à de grandes hauteurs et de voler sur
de grandes distances sans aucun effort.
J'entendis les mots:

La foi vient avec la pratique.
Vis par la foi jusqu'à ce qu'elle devienne
semblable à du roc et soit inébranlable.
Et trouve la liberté de l'esprit.

1er AVRIL

Le printemps s'installe d'une façon vraiment parfaite. Voici le printemps du Nouvel Age, et lui aussi se déploie de façon parfaite. Tu en fais partie, et il t'apporte une vie nouvelle. Il apporte un sentiment de liberté et d'abandon complets, le sentiment de dépasser les anciennes manières confinées pour s'ouvrir à un nouvel horizon spacieux où n'existe aucune limitation. Sens-toi grandir et t'étendre dans toutes les directions, avec le sentiment que tout peut arriver à n'importe quel moment. Sois comme un coureur sur la ligne de départ, sur le qui-vive, prêt à partir au signal du starter. Tant de choses se passent en ce moment, à tous les niveaux.

Les changements se produisent et tu en fais partie, alors suis-les. Sois prêt à changer et change rapidement là où c'est nécessaire et au bon moment. N'hésite pas, ne reste pas en arrière. Pénètre tout droit dans ce qui se met en place, rapidement et sûrement, avec une foi et une confiance absolues.

2 AVRIL

Il y a un temps et une saison pour tout. Il s'agit de Me laisser guider ta vie de façon à ce que tu connaisses le bon moment et la bonne saison avec une certitude intérieure claire, et que tu puisses avancer rapidement en suivant ces suggestions profondes avec une confiance absolue.

Quand tu es en paix au-dedans de toi, le temps ne veut rien dire; c'est lorsque tu es malheureux ou mal à l'aise que tu sens que le temps s'étire, et tu as l'impression que la journée n'en finit pas. Lorsque tu prends plaisir à ce que tu fais, le temps passe très vite et tu souhaites qu'il y ait plus d'heures dans une journée. Il est important que tu apprennes à apprécier pleinement tout ce que tu entreprends et que ton attitude envers toute chose soit juste. Tu arriveras à faire bien plus de choses; ce sera fait avec amour, et donc à la perfection. Que la perfection soit ton but à tout instant. Lorsque tu fais quelque chose avec amour, tu le fais pour Moi.

3 AVRIL

La clé de ton bonheur et de ton contentement repose au fond de toi, dans ton propre cœur et ton esprit. La façon dont tu commences chaque journée est très importante; tu peux commencer du bon pied ou du mauvais. Tu peux te réveiller avec, dans le cœur, un chant de joie et de gratitude pour la nouvelle journée, pour le bonheur d'être vivant, pour la simple merveille de vivre et pour le fait d'être en accord et en harmonie avec le rythme de toute vie. Tu peux t'attendre à ce que le jour qui vient te donne le meilleur et ainsi l'attirer à toi.

Ou bien tu peux commencer la journée de mauvaise humeur, insatisfait et à contre-temps. Tu es responsable de ce qu'aujourd'hui apportera, et le savoir te donne une responsabilité encore plus grande qu'aux âmes qui n'en sont pas conscientes et qui ne peuvent donc pas savoir. Tu ne peux blâmer qui que ce soit d'autre que toi pour ton état d'esprit. Tout repose sur toi.

4 AVRIL

Où te tiens-tu sur l'échelle de la vie? As-tu touché le fond et commencé à remonter la pente? As-tu accepté d'abandonner toute chose de ta vie pour Me mettre en premier, non que tu aies peur, mais à cause de ton amour profond pour Moi et de ton aspiration à faire Ma volonté et à marcher sur Mon chemin? Peux-tu dire: « que Ta volonté soit faite », et le penser vraiment, et être prêt à faire tout ce que Je te demande de faire, même si cela peut sembler étrange ou fou aux yeux des autres?

Cela demande courage, connaissance et certitude intérieurs profonds, tels que rien ne pourra te déséquilibrer. Il n'y a que les âmes fortes qui seront capables de suivre ce chemin spirituel. Il n'est pas pour les âmes qui choisissent de faire ce qu'elles veulent et qui refusent d'écouter Ma parole. Il n'y a pas de raccourci dans cette vie spirituelle. Tu dois chercher et trouver ton propre salut.

5 AVRIL

Quand un petit enfant commence à marcher, il fait quelques pas hésitants jusqu'à ce qu'il gagne en confiance, et au fur et à mesure, ses pas deviennent plus fermes et plus sûrs jusqu'à ce qu'enfin il puisse marcher sans trébucher. Puis il apprend à courir et à sauter; mais on ne peut brûler les étapes.

Il en est de même avec la foi. Elle doit être construite progressivement; elle ne vient pas d'un seul coup. Chaque fois que tu mettras ta foi à l'épreuve, elle grandira, jusqu'à ce que tu sois capable de sortir de tes limites et de vivre entièrement par elle car ta sécurité sera enracinée et établie en Moi. Tu sais que tu peux faire toutes choses avec Moi, car c'est Moi qui, en travaillant dans et à travers toi, les accomplis, tu n'en serais pas capable avec tes seules forces. Reconnais toujours la source de ton aide, de ta force et de ton inspiration, et n'oublie jamais de rendre grâce. Ne prends rien comme allant de soi, mais reconnais Ma main en toute chose!

6 AVRIL

Beaucoup de petites choses dans la vie de tous les jours peuvent facilement causer la désunion et la disharmonie. Elevez-vous au-dessus d'elles et unissez-vous à ce qui est important dans la vie: votre amour pour Moi, votre amour les uns pour les autres, vivre et travailler pour le bien du tout, vous oublier vous-même ainsi que tous ces petits incidents mesquins concernant les goûts et dégoûts personnels qui se manifestent sans arrêt. C'est lorsqu'une âme a le fort sentiment que sa façon de faire est juste et refuse platement de céder d'une façon ou d'une autre, que tôt ou tard quelque chose doit casser. Quand tu étires un élastique jusqu'à sa limite, soit il se cassera, soit, si tu le lâches tout d'un coup, il reviendra brusquement et te fera mal. Mais si tu peux le laisser doucement aller, il se remettra en place sans casser ni causer de souffrance inutile. Pourquoi ne pas ouvrir ton cœur et calmer la tension doucement? L'amour et la compréhension aideront toujours à aplanir le chemin.

7 AVRIL

C'est seulement lorsque ta conscience se dilate que tu es ouvert et réceptif au nouveau tout autour de toi et que tu peux t'accorder à de nouvelles pensées, de nouvelles idées et de nouvelles façons de vivre. Sois préparé à voir au-delà de l'immédiat vers de plus hautes dimensions, de plus hauts domaines, et ouvre-toi aux chemins de l'Esprit. Il y a beaucoup de choses que tu peux comprendre et accepter intuitivement mais devant lesquelles la raison est perdue, alors pourquoi perdre du temps à essayer de tout éclaircir avec la raison? Pourquoi ne pas être prêt à vivre et agir intuitivement et par inspiration? Lorsque tu le fais, tu fonctionnes à partir d'un état élevé de conscience et tu es réceptif au nouveau. Tu deviens un canal clair qui permet au nouveau de se déployer dans et à travers toi. Alors élève ta conscience du négatif vers le positif, du destructif vers le constructif, de l'obscurité vers la lumière, et de l'ancien vers le nouveau, et vois ce qui se passe. Tu verras que l'ancien disparaîtra, révélant la gloire du nouveau.

8 AVRIL

Ne t'appuie sur personne. Tu n'as besoin d'aucun soutien extérieur ni d'être rassuré, car tu as tout au fond de toi. C'est à la paix intérieure que chacun aspire, et elle est là lorsque tu prends du temps pour la rechercher. Prends-tu du temps pour voir la vérité, ou acceptes-tu tout ce que tu entends, vois et lis sans discernement? Quand tu connais quelque chose de l'intérieur, rien ni personne d'extérieur ne peut l'ébranler. C'est quelque chose de si réel pour toi, que peu importe si le monde entier s'y opposait et te disait que tu as tort. Tu pourrais continuer tranquillement ton chemin sans être troublé ni déséquilibré. Cela, c'est la joie et la paix de la connaissance intérieure. C'est ce qui peut te donner la paix qui dépasse tout entendement. Alors quand tu as un doute quelconque à propos de quoi que ce soit, intériorise-toi et recherche la vérité et Je te la révèlerai; puis va ton chemin dans la paix et la confiance.

9 AVRIL

On ne peut construire un temple puissant sans de solides fondations. Vous ne pouvez construire le nouveau ciel et la nouvelle terre sans amour, amour les uns pour les autres et amour pour Moi. L'amour commence dans les petites choses de la vie et s'étend à partir de là. Sème des graines d'amour où que tu ailles, et vois-les croître, fleurir et prospérer. Les graines d'amour semées, même dans le plus dur des cœurs, se mettront finalement à pousser; cela peut prendre du temps pour que les graines germent, mais en si l'on s'occupe d'elles avec un soin aimant, elles ne peuvent pas ne pas pousser.
Alors ne désespère de personne, déverse simplement sans cesse l'amour et ne durcis pas ton cœur. Cesse d'essayer de te justifier pour tes actions. Cesse de blâmer l'autre. Sonde ton propre cœur, mets-toi au clair, et trouve la paix parfaite du cœur et de l'esprit. Alors tu peux aller n'importe où dans la liberté et la joie vraies, irradiant l'amour et toujours plus d'amour. Il ne peut jamais y avoir trop d'amour. Laisse-le couler librement.

10 AVRIL

La vie est ce que tu en fais. Pourquoi ne pas reconnaître ce qu'il y a de meilleur dans chaque situation et l'apprécier pleinement, peu importe où tu es et ce que tu fais? Ne perds jamais de temps et d'énergie à souhaiter être autre part à faire autre chose. Tu ne comprendras pas toujours pourquoi tu te trouves où tu es, mais tu peux être sûr qu'il y a une très bonne raison à cela et qu'il y a une leçon à apprendre. Ne lutte pas contre, mais découvre cette leçon et apprends-la vite de façon à pouvoir avancer. Tu ne voudrais pas rester sur place, n'est-ce-pas? En cessant de résister et en acceptant simplement les leçons qu'il faut apprendre, les prenant toutes comme elles viennent, tu trouveras la vie beaucoup plus facile et, de plus, tu aimeras les changements. Une plante ne résiste pas à la croissance et au changement; elle coule simplement avec eux et s'épanouit à la perfection. Pourquoi n'en fais-tu pas autant?

11 AVRIL

Tu es dans le monde mais tu n'es pas de ce monde. Il est inutile de laisser les façons d'être du monde t'enfoncer. Jouis-en mais n'essaye pas de les posséder et ne leur permets pas de te posséder. Dans le Nouvel Age, il n'est pas nécessaire d'être vêtu de hardes et couvert de cendres, ou d'aller partout en déclarant que tu es un misérable pécheur et n'es pas digne d'être appelé Mon enfant bien-aimé. Cet enseignement appartient aux temps anciens et il est faux et sans réalité. Accepte le fait que nous faisons un et que JE SUIS en toi. Sens-toi tiré hors des ténèbres de cet enseignement erroné vers la lumière glorieuse. Laisse l'ancien derrière et laisse-le mourir d'une mort naturelle. Entre dans le nouveau, renais en Esprit et en vérité, et découvre la signification de la vraie liberté.

J'ai besoin de toi libre et non pas ligoté par toi-même et par le souci de ta propre personne. Sois comme un tout petit enfant, libre et joyeux, et vis dans l'éternel présent.

12 AVRIL

Remercie pour tout ce que tu as, pour tout ce que tu reçois, et pour tout ce que tu vas recevoir. En fait, ne cesse jamais de remercier, car c'est une attitude positive envers la vie et c'est le fait même de remercier qui attire à toi ce qu'il y a de meilleur. Cela aide à garder ton cœur et ton esprit ouverts; cela aide à l'expansion constante de ta conscience. Tu rencontreras toujours quelque chose qui demande remerciements, et alors que tu commenceras à compter ces bénédictions, elles se multiplieront. Tu te rendras compte à quel point tu es puissamment béni, tu prendras conscience que tout ce que J'ai t'appartient, que Mes réserves d'abondance sont pleines à déborder et que tu ne manques de rien.

Chacun de tes besoins est comblé d'une manière merveilleuse, et dans cet état de conscience tu peux donner, donner encore et ne jamais compter ce que cela te coûte, car tu reçois en fonction de ce que tu donnes. En donnant, tu fais de la place pour recevoir davantage.

13 AVRIL

JE SUIS la source de ce que tu reçois et tout ce que J'ai t'appartient. Mon abondance infinie est accessible à tous, mais ta conscience doit être une conscience d'abondance, sans aucune pensée de manque ou de restriction. Sens ta conscience s'étendre et s'étendre, et laisse-la continuer à s'élargir sans aucune limitation, car les limitations causent des blocages dans le flot constant. Avec les limitations vient la peur, et avec la peur la stagnation; et quand quelque chose se met à stagner, le flot est coupé et meurt. Maintiens un flot continu. Qu'il y ait un donner et un recevoir constants à tous les niveaux, et sache ce qu'abondance infinie veut dire.

Sache que tu fais un avec Moi, un avec toute la richesse du monde et que rien n'est pris pour soi, que rien n'est gardé en réserve. Tout est là pour être sagement utilisé. Sois un bon gestionnaire de Mes dons parfaits et bons. Recherche Ma « guidance » et Ma direction pour savoir comment utiliser de façon juste Mes ressources infinies.

14 AVRIL

C'est important qu'il y ait équilibre dans toute situation, à tous les instants. Tu verras qu'il y a toujours un équilibre parfait lorsque tout ce que tu entreprends est fait sous Ma conduite. C'est pourquoi tu dois laisser la vie s'épanouir sans essayer de forcer quoi que ce soit car, ainsi, cela ne peut mal tourner et rien ne peut être fait au mauvais moment. Cela ne veut pas dire t'asseoir et ne rien faire, et t'attendre à ce que tout te tombe tout cuit dans la bouche. Tu dois rester sans cesse en alerte; tu dois garder ta conscience élevée; tu dois t'attendre au meilleur; tu dois être sûr que tout est très, très bien.

Tu dois M'attendre dans la foi et la confiance absolues. Tu dois savoir sans l'ombre d'un doute que JE SUIS en permanence Ton guide et Ton compagnon. Tu dois savoir que tout ce que tu fais est guidé par Moi et Moi seul, afin que chacun des pas que tu accomplis soit ferme et sûr et que chaque chose que tu fais soit faite dans l'amour.

15 AVRIL

Comme c'est facile de vitupérer contre la situation mondiale et de t'en plaindre, en blâmant tout le monde sauf toi-même. C'est facile de dire: « Pourquoi n'y font-ils pas quelque chose? » Pourquoi ne pas faire toi-même quelque chose? Ne te mets jamais en retrait, convaincu de ton impuissance et imaginant que tu ne peux rien y faire.
Tu peux aider et tu peux commencer à aider dès maintenant. Tu peux commencer en mettant ta propre maison en ordre. Tu peux aplanir tous les malentendus et essayer de redresser les torts. Tu peux étendre ta conscience afin d'être capable de voir la vie sous un angle différent et plus large. Tu peux apprendre à être plus tolérant, à être plus ouvert, plus aimant, et à voir les deux côtés des choses. Tu peux commencer dès maintenant à bannir toute amertume, toute critique et toute négativité dans ta façon de penser. Tu verras qu'alors que tu fais ta part, tu participeras au tout. Mais tu ne peux pas le faire tout seul. Fais-le avec Mon aide.

16 AVRIL

Pourquoi ne pas faire dans la vie ce que tu trouves plaisir à faire, tant que cela ne nuit pas à une autre âme et n'apporte que du bien, à toi et à toutes ces âmes dont tu te soucies? Apprends à faire ce que tu fais au bon moment, de la bonne manière et sans tension ni effort.

Les petits enfants savent comment jouir de la vie. Deviens comme un tout petit enfant sans inhibition et apprends à jouir de la vie sans aucune restriction, sans t'inquiéter pour toi-même ni te regarder faire. Ne fais pas toujours les choses parce que tu ressens qu'il faut les faire. Quand une chose est faite par obligation, toute la joie et le plaisir s'en vont. Apprends à faire toutes choses parce que tu adores les faire. Donne tout ce que tu as à donner par simple amour de donner et de vivre, et regarde comme la vie devient différente pour toi.

17 AVRIL

Recherche et trouve le lien direct avec Moi, et conserve-le quoi qu'il arrive autour de toi. Ce lien avec Moi, le Divin, est la source de tout pouvoir, et c'est ce pouvoir qui crée les miracles. Que sont les miracles, sinon Mes lois divines en action? Travaille avec ces lois et tout peut arriver. C'est le fait de t'identifier avec ce qui rend toute vie une, avec toute sagesse et tout pouvoir, qui ouvre les portes et permet aux lois d'opérer en toi.

Pourquoi rester en retrait à regarder les miracles arriver dans la vie des autres, alors qu'ils peuvent tout aussi bien arriver dans la tienne? Les miracles se manifestent lorsque tu t'accordes à ce pouvoir et à cette unité et lorsque tu parviens à accepter qu'il t'est possible de faire toute chose à travers Moi, car Je t'affermis, te soutiens et travaille en toi et à travers toi. Reconnais que par toi-même tu n'es rien, mais qu'avec Moi tu peux vraiment tout faire, et tu verras se produire dans ta vie miracle sur miracle.

18 AVRIL

La paix commence à l'intérieur. Elle est là au fond de chaque âme, comme une minuscule graine qui attend de germer, pousser et prospérer. Il faut lui donner les bonnes conditions, le bon environnement et le bon traitement avant qu'elle ne puisse germer. Sois calme et crée les bonnes conditions. Sois calme et donne-lui une chance de prendre racine. Une fois qu'elle est bien établie, elle continuera à croître; mais dans ses débuts fragiles elle a besoin d'être aidée et chérie. Ainsi donc tu détiens en toi la clé de la paix du monde. Ne perds pas de temps à regarder le chaos et la confusion dans le monde, mais commence à redresser les choses en toi-même.

Occupe-toi tranquillement de faire Ma volonté. Tu n'as pas à en parler, mais simplement à la vivre. Transforme le chaos et la confusion qui règnent dans ta propre vie en paix, sérénité et tranquillité; et deviens un membre utile de la société et du monde dans lesquels tu vis. Commence avec toi-même là où tu sais que tu peux faire quelque chose, et puis avance vers l'extérieur.

19 AVRIL

Quand la vie te demande de changer, vois clairement ce qu'il faut faire et change sans aucune résistance, sachant que tout changement tend à une amélioration. Changer n'est pas toujours facile, surtout pour les personnes qui ont des idées arrêtées et des façons de voir figées. Il te faut être prêt à te débarasser des idées confortables et bien établies l'une après l'autre jusqu'à être complètement libre et ouvert pour recevoir ce qui est entièrement nouveau et révolutionnaire. C'est là que, souvent, apparaît la difficulté.

Beaucoup de gens, après avoir intégré une chose nouvelle, veulent s'y accrocher et refusent de la lâcher. Pourquoi ne pas la voir seulement comme un pas en avant vers des révélations plus grandes et plus merveilleuses qui attendent d'être apportées quand tu leur auras fait de la place? On ne peut pas remplir un seau plein; il faut le vider d'abord. Tu ne peux pas passer directement dans le nouveau lorsque tu es encore encombré de l'ancien et refuse de te laisser aller. Alors change et change vite, car J'ai besoin de toi.

20 AVRIL

Quoi que tu entreprennes, fais-le avec Ma bénédiction. Ne te précipite jamais follement dans quelque chose sans rechercher, tout d'abord, Ma bénédiction. Va en silence et sens la paix et la sérénité t'envelopper, et dans cet état de paix parfaite, demande et reçois Ma bénédiction. Puis va de l'avant dans une foi et une confiance absolues et fais ce qui doit être fait. Sache que JE SUIS avec toi tout au long du chemin, et que tout s'accomplira de façon parfaite. Plus grande la tâche à accomplir, plus grand ton besoin de Ma bénédiction.

Pourquoi ne pas commencer en M'introduisant dans chaque petit domaine de ta vie, et en M'incluant progressivement dans des domaines plus variés et plus vastes jusqu'à ce que, finalement, tu ne fasses plus aucun pas sans, tout d'abord, rechercher Ma présence et Ma bénédiction totale? Sois préparé à faire de grands pas en avant dans des situations apparemment impossibles, mais n'aie crainte, car Je vais devant toi pour préparer le chemin. Garde ta conscience élevée, reste en contact avec Moi, et sois absolument sans crainte dans tout ce que tu entreprends, quoi que cela puisse être.

21 AVRIL

Il y a une place pour chaque individu dans le monde, mais tu dois rechercher et trouver où se trouve la tienne et quel est ton rôle. Si tu as peur de prendre la responsabilité d'apporter le nouveau, ne tente pas d'arrêter les âmes qui ont la volonté de le faire. Prends conscience que ces âmes qui ont été entraînées et inspirées pour entreprendre cette tâche la feront, car c'est là leur travail. Trouve ta bonne place dans le vaste plan général et ne te trouble pas si tu n'es pas en première ligne.
Souviens-toi, il faut toutes sortes de personnes pour faire un tout. Accepte simplement ton travail spécifique et fais ce que tu sais avoir à faire de tout ton cœur, et laisse ces âmes qui ont été placées dans la position de chef et de responsabilité aller de l'avant. Donne-leur ton plein appui et ta loyauté entière; elles en ont besoin et l'apprécient. Elève ton cœur en un amour profond, une louange et une gratitude profondes envers elles, et donne toujours le meilleur de toi-même.

22 AVRIL

Combien de fois as-tu entendu la remarque: « comme le temps file! »? Lorsque tu es plein de joie et de bonheur, que tu donnes le meilleur de toi-même, que tu vis pour les autres, et que tu as le souci du bien du tout dans le cœur, le temps file en effet et tu en apprécies chaque seconde.
Tu vis dans le temps, mais il n'est pas nécessaire de le laisser devenir un fardeau et t'enfoncer. Il y a du temps pour tout, pour toutes les choses que tu veux faire, parce que tu leur trouveras du temps. Chaque personne a la même somme de temps, mais c'est la façon dont tu l'utilises qui importe, alors ne te plains jamais de ce que certaines âmes ont plus de temps que d'autres. Ne sois jamais esclave du temps, mais fais-en ton serviteur. Tu dois décider de ce que tu veux faire et puis t'y mettre et tu verras que tu en as parfaitement le temps.

23 AVRIL

Approche-toi de Moi et Je m'approcherai de toi. Il ne tient qu'à toi de faire le premier pas dans la bonne direction, en te mettant en contact direct avec Moi, le reste viendra. Chaque âme aura une approche différente, mais tout ce qui importe est de faire des pas, aussi hésitants soient-ils au début. Sache simplement qu'une fois que tu auras fait le premier pas, les suivants deviendront plus forts et plus sûrs.

Tu verras s'accomplir merveille sur merveille alors que tu feras Ma volonté et tu verras Mes lois se manifester dans la forme. Ta foi et ta croyance deviendront fortes et inébranlables si tu t'attends à ce que le meilleur advienne et si tu l'attires à toi. Vois-le s'accomplir, non pas juste une seule fois mais encore et encore, jusqu'à ce que tu ne puisses plus douter de la merveille de Mon chemin, jusqu'à ce que tu mettes ta foi et ta confiance entières en Moi et que tu Me permettes de prendre les rênes et de guider ta vie tout entière.

24 AVRIL

Y a-t-il des personnes que tu te sens incapable d'aimer? D'abord cesse de les détester. Cesse de les critiquer et d'être intolérant envers elles. Cela peut être ton premier pas dans la bonne direction. Puis, progressivement, prends du temps pour les connaître, pour découvrir comment elles fonctionnent, et pour trouver ce qui, en toi, a créé cette séparation entre elles et toi. Regarde en toi-même et mets à jour ce qui a mal tourné entre vous, et jamais, à aucun moment ne jette le blâme sur qui que ce soit d'autre que sur toi-même. Quand tu peux te mettre en face de toi-même et de tes manquements, tu es sur le bon chemin et tu pourras trouver la solution parfaite à tes problèmes. Avant de t'en être aperçu, ton attitude et ta relation entières envers chaque âme auront changé.

Tu peux toujours faire quelque chose tout de suite, alors pourquoi ne pas le faire, au lieu d'attendre que quelqu'un d'autre fasse le premier pas?

25 AVRIL

JE DOIS te permettre de faire erreur sur erreur dans ta vie, mais quand tu les reconnais et recherches Mon aide, JE SUIS toujours là pour t'aider et te montrer le chemin. Mais Je ne ferais pas ton travail pour toi. Tu dois apprendre à le faire toi-même. Cette vie n'est pas pour les faibles, mais pour les âmes qui sont fortes et sûres d'elles-même, pour les âmes qui veulent trouver les réponses et sont prêtes à tout donner pour cela, quelqu'en soit le coût.
Crains-tu de faire des erreurs? Crains-tu d'être dépassé par les événements? Tu n'apprendras jamais à nager si tu ne retires pas tes pieds du fond. Tu ne grandiras jamais spirituellement si tu ne te tiens pas debout sur tes propres jambes. N'aie peur de rien, mais, dans la foi et la confiance absolues, va de l'avant, fais ce que tu sais être juste, et ignore toute opposition. Sois guidé par cette connaisance intérieure qui vient de Moi.

26 AVRIL

Pourquoi ne pas faire de ce jour une journée splendide en partant du bon pied et en te mettant en contact avec Moi à l'instant où tu te réveilles? Pourquoi ne pas emplir ton cœur d'amour et de gratitude en vue d'une journée que l'attente du meilleur et du plus élevé remplira? Quand les tout premiers moments d'une nouvelle journée sont joyeux et qu'ils t'élèvent, tu verras que les suivants le seront aussi, et cela s'étendra sur des heures; tu verras que la joie et la paix te suivront tout au long de la journée. Quand tu te réveilles avec l'esprit lourd, abattu et déprimé, tu peux garder cet état d'esprit tout au long de la journée, sauf si tu réagis.

Sers-Moi pour trouver la paix parfaite du cœur et de l'esprit, qui vient lorsque tu t'es déchargé de tous tes ennuis et soucis sur Moi, et lorsque ton seul désir est de faire Ma volonté et de marcher sur Mon chemin.

27 AVRIL

Pourquoi, dans cette vie, ne pas être un optimiste qui attend toujours le meilleur, trouve toujours le meilleur, crée toujours le meilleur? L'optimisme conduit au pouvoir; le pessimisme conduit à la faiblesse et à la défaite. Laisse le pouvoir de l'Esprit briller en toi et à travers toi, et crée autour de toi un monde de beauté, de paix et d'harmonie.

Lorsque ton regard sur la vie est optimiste, tu élèves toutes les âmes autour de toi, tu leur donnes espoir, foi et croyance en la vie. Tu verras toujours que ce qui se ressemble s'assemble, et que ton optimisme engendrera l'optimisme et fera boule de neige. Il y a toujours de l'espoir dans la vie, même si ce n'est, pour commencer, qu'une minuscule étincelle vacillante. Si elle est entourée d'espoir et d'amour dans l'ambiance correcte, cette minuscule étincelle s'embrasera; et elle grandira et grandira jusqu'à ce que tu brûles du feu de l'Esprit qui est inextinguible. Une fois allumé, rien ne pourra l'empêcher de s'étendre.

28 AVRIL

Il n'est pas facile de tendre l'autre joue lorsque quelqu'un te frappe, en parole ou en acte. La réaction immédiate est de frapper en retour, mais c'est là qu'on doit surveiller ses réactions avec le plus grand soin et mettre en pratique le contrôle de soi et l'oubli total de soi. Les âmes qui n'ont pas appris l'autodiscipline rendront coup pour coup et se sentiront justifiées à le faire. Et puis elle se demanderont pourquoi il y a tant de chaos et de confusion dans le monde. Elles sont tellement aveugles qu'il leur est impossible de voir que tant qu'elles n'ont pas appris à changer entièrement leur façon de voir et commencé à aimer leur voisin comme elles-mêmes, elles ne peuvent pas espérer changer ce qui se passe dans le monde. Plus il y a d'amour et de bonne volonté, plus les changements viendront vite. Mais tout commence en toi. Donc plus vite tu en prends conscience, plus vite se feront les changements tout autour de toi, et ainsi dans le monde. Pourquoi ne pas commencer à faire quelque chose dans ce sens dès maintenant?

29 AVRIL

Ouvre-toi au flot de Mon amour divin et de Ma lumière divine. Ouvre les portes de ton cœur et ne laisse rien arrêter ce flot. Garde ces portes grandes ouvertes afin que l'amour et la lumière puissent couler librement en toi et à travers toi, et que la force de vie reste toujours bien présente en toi. Si les portes de ton cœur sont fermées et que le flot d'amour et de lumière cesse, ta vie entière devient stagnante, et... rien ne vit dans une mare stagnante. C'est pourquoi tu dois garder consciemment ces portes grandes ouvertes et puiser tout le temps en Moi, la source de toute vie, afin que ton cœur ne devienne jamais, à aucun moment, sec et inerte. Un fleuve qui cesse de recevoir de sa source s'assèche. Toi aussi, si tu cesses de puiser tes réserves en Moi, très vite tu t'assècheras et deviendras inutile. Alors sois toujours pleinement conscient de Moi, et puise constamment ta force de vie en Moi. Tu fais ton choix jour après jour, heure après heure, minute après minute.

30 AVRIL

Donner est une joie immense. Au fur et à mesure que tu apprends à donner et à offir de tout ton cœur tes dons et tes talents (tout le monde en a de multiples, et ils fonctionnent tous à des niveaux différents), tu grandis en stature et en grâce. Si tu as une nature heureuse, gaie, qui rayonne où que tu sois, cela te sera retourné mille fois plus, car tout le monde répond à une nature gaie. Souviens-toi toujours: « tu récolteras selon ce que tu as semé ». Si tu sèmes la critique, l'intolérance, la déloyauté et la négativité, tu les récolteras aussi, car tu les attires à toi.

Pourquoi ne pas commencer dès maintenant à semer des graines de joie, de bonheur, d'amour, de tendresse et de compréhension, et voir ce que cela te procurera? Ton regard sur la vie changera, et tu verras que tu attires vers toi le meilleur de la vie. La joie que tu donnes sera reflétée par toutes les âmes autour de toi, car tout le monde aime quelqu'un qui donne joyeusement et y répond!

MAI

Une montagne, dont le sommet était comme
enveloppé dans un nuage, me fut montrée.
Je vis beaucoup d'âmes qui gravissaient la pente
et je remarquais que lorsqu'elles atteignaient
le nuage, elles hésitaient et semblaient
avoir peur de passer au travers.
J'entendis les mots:

N'aie crainte. Passe à travers le nuage
de l'ignorance dans la lumière glorieuse du soleil
et sois conscient de ma réalité et
de ma divine présence, car je suis partout.
Il n'existe aucun lieu où je ne suis pas.

1er MAI

De grosses portes tournent sur de petits gonds. Des événements extraordinaires partent de tout petits commencements. Je te le dis, ce qui a commencé à Findhorn d'une manière si modeste grandira et se développera en un mouvement universel, planétaire; une révélation deviendra une révolution.
Mes chemins sont très étranges et merveilleux; ce ne sont pas les vôtres. Marche dans Mon chemin avec une foi et une confiance absolues, et vois se déployer Mes merveilles et Ma gloire.
Le printemps du Nouvel Age est là, il éclate en une parfaite harmonie, beauté et abondance; et rien ne peut l'empêcher. Il y a un bon moment et une bonne saison pour tout, et c'est maintenant le bon moment et la bonne saison pour la naissance du Nouvel Age. Alors ne t'attarde pas sur le passé, laisse tout ça derrière toi; et vois ce que J'ai pour toi en ce magnifique jour nouveau. Vois se réaliser toutes Mes merveilleuses promesses, et rends grâce éternellement pour tout. Maintiens toujours devant toi la vision du nouveau ciel et de la nouvelle terre.

2 MAI

Sans amour dans le cœur, tu ne peux parcourir ce chemin spirituel, car l'amour est la clé. L'amour montre le chemin. L'amour est le chemin! C'est une perte de temps de parler de l'amour. Vis-le et fais-en la démonstration dans ta vie. Oublie-toi complètement en déversant l'amour sur tes compagnons humains. Plus tu les aimes, plus tu M'aimes. La tolérance n'est pas suffisante; c'est l'amour authentique qui est nécessaire. L'amour n'est jamais possessif. L'amour rend libre ceux qu'on aime.

Tu ne peux espérer aider une âme lorsque tu es possessif, car il faut que toutes les âmes soient complètement libres pour se trouver elles-mêmes et vivre leurs propres vies, dirigées par Moi. Lorsque tu es possessif vis-à-vis d'une âme, tu arrêtes son progrès spirituel, et c'est une chose que tu ne dois jamais faire, car tu prends là une très lourde responsabilité. La liberté de l'Esprit est essentielle pour tous et chacun.

3 MAI

Lorsque ton attitude est positive, tu peux voir au-delà de la première impression jusqu'au fond des choses. Vois très clairement tes besoins, et sache sans aucun doute qu'ils seront tous merveilleusement comblés, et remercie qu'il en soit ainsi. N'oublie jamais de témoigner de la reconnaissance. La loi de gratitude pour toute chose est une loi spirituelle fondamentale.

Peux-tu être sincèrement reconnaissant pour toute chose? Peux-tu voir du bon dans chaque situation? Je veux que tu essayes de mettre de plus en plus cette loi en pratique, surtout lorsque tu es confronté à une situation apparement très difficile. Regarde-la honnêtement et en face; puis regarde à travers elle, sous elle, au-dessus d'elle et tout autour d'elle; et quand tu auras fini, tu verras que ton regard sur cette situation aura complètement changé. Ce qui apparaissait tout d'abord comme un désastre est devenu maintenant une chance, et tu seras déterminé à en faire une réussite en en tirant le meilleur.

4 MAI

Sois parfaitement en paix. Ne t'épuise pas à comprendre ce qui n'est pas pour ton entendement. Si Je souhaite te transmettre quelque chose, cela se fera sans effort, car Je l'illuminerai de la lumière de la vérité. Cela te sera révélé, et il ne te sera laissé aucun doute quant à sa signification. Quand Je dis que la vie est sans effort, c'est exactement ce que Je veux dire. Il y a beaucoup trop de tensions et d'efforts dans la vie. Comment peux-tu espérer être en paix lorsque tu peines et luttes tout le temps?
Laisse Ma paix qui dépasse tout entendement te remplir et t'envelopper, car lorsque tu es en paix à l'intérieur, tu reflètes la paix à l'extérieur, et toutes les âmes que tu rencontres sentiront cette paix. Que rien ne te trouble ni ne te désespère! Sache simplement que tout est entre Mes mains, et que tout est très, très bien. Alors élève ton cœur en un amour profond, une louange et une gratitude profondes et avance aujourd'hui dans la paix.

5 MAI

Regarde l'abondance de la nature, de la beauté tout autour de toi, et reconnais-Moi en toute chose. Combien de fois durant la journée, alors que tu vas de-ci, de-là, regardes-tu les merveilles autour de toi et remercies-tu pour tout cela?
La plupart du temps, tu es tellement pressé que tu en manques une grande partie et oublies de t'imprégner de ces merveilles et de ces splendeurs qui élèveraient et rafraîchiraient ton âme. Il s'agit d'ouvrir les yeux et d'être sensible et attentif. Commence dès maintenant à devenir de plus en plus attentif aux choses importantes de la vie, aux choses qui rendent le cœur content, rafraîchissent l'Esprit et élèvent la conscience.
Plus tu absorbes de beauté, plus tu peux refléter de beauté. Plus tu absorbes d'amour, plus d'amour tu as à donner. Le monde a besoin de plus en plus d'amour, de beauté, d'harmonie et de compréhension, et tu es la personne qui est faite pour les donner. Pourquoi ne pas ouvrir ton cœur maintenant et le faire?

6 MAI

Ne sois pas satisfait de toi quand ta vie est confuse et désordonnée, mais cherche à être guidé et dirigé de l'intérieur, et sois prêt à accepter l'aide venant de l'extérieur. Dans beaucoup de circonstances, Je dois utiliser Mes canaux pour aider à envoyer de la lumière sur une situation, surtout quand il y a des points obscurs ou quand tu es trop près d'une situation pour pouvoir en avoir une vision claire par toi-même. Dans ces moments-là, sois prêt à accepter l'aide qui vient de l'extérieur.

Cependant, cela ne veut pas dire que tu doives te précipiter vers quelqu'un d'autre chaque fois que tu as besoin de résoudre un problème. C'est important que tu apprennes à te tenir sur tes propres jambes et que tu réfléchisses et cherches intérieurement chaque fois que c'est possible. Tu ne dois pas être paresseux spirituellement et compter sur quelqu'un d'autre pour ce que tu sais avoir à éclaircir toi-même. Trouver le silence et s'intérioriser afin de trouver la réponse demande du temps et de la patience, mais tu ne peux espérer croître spirituellement si tu ne mets pas cela en pratique.

7 MAI

Garde ton centre profond aussi tranquille qu'un lac, afin de pouvoir refléter le meilleur sans aucune distortion; alors tu pourras irradier ce meilleur vers l'extérieur. Ne laisse rien te désespérer ou te troubler; sache simplement que tout se réalise à la perfection, et prends les choses comme elles viennent, sans te faire de souci. Apprends à rire de toi-même, surtout quand tu te surprends à devenir trop sérieux et accablé par les affaires du monde.
Lorsque tu te surprends à devenir trop sérieux, relâche, détends-toi et commence à jouir de la vie, et tu verras que tout effort et tension disparaîtront. Si tu vois que tu es accablé parce que tu portes un fardeau trop lourd sur les épaules, dépose-le immédiatement, repose-toi et détends-toi. Tu verras que tu pourras faire bien plus dans cet état de repos et de détente que lorsque tu es aussi tendu qu'un élastique étiré au maximum et prêt à craquer.

8 MAI

Cette vie spirituelle demande des âmes totalement consacrées, car, sans cette consécration, vous faillirez en cours de route. Il y a beaucoup d'influences dans la vie qui peuvent facilement te déséquilibrer, sauf si tu avances dans une seule direction et si tu es totalement consacré.
Vivre une vie pleine et splendide veut dire la vivre tout le temps; cela ne peut pas être qu'une partie du temps. Tu dois rester en alerte jour et nuit, être vigilant et agir sur un signe sans aucune pensée ni inquiétude pour toi-même. Il y a des moments où tu devras aller de l'avant dans la foi et la confiance complètes sans même en connaître la raison. Tu devras agir par intuition et inspiration, et lorsque tu le feras, il pourra sembler n'y avoir ni rime ni raison apparentes. Mais quand tu sais que quelque chose est juste, va et fais-le, et sache que tu auras toutes les forces de lumière avec toi, car JE SUIS avec toi.

9 MAI

Va dans le sens du courant, non contre lui! Quand tu sens que le changement est nécessaire, prépare-toi et n'essaye pas d'y résister. Sois très souple. Reste ouvert, et ne laisse jamais ton attitude être: « ce qui était bon pour mes parents me suffit ». Le changement ne viendra jamais avec cette attitude, et des changements doivent se produire.

Le nouveau ne peut pas entrer dans le vieux moule parce que le nouveau a dépassé l'ancien et a besoin de plus de place. Donne-lui plus d'espace en grandissant avec lui. Un processus douloureux n'est pas nécessaire lorsqu'il n'y a pas de résistance. Quand une plante végète par manque d'espace, elle a besoin d'être rempotée pour permettre à ses racines de s'étendre. Quand ta conscience a dépassé les vieilles conceptions, elle a besoin qu'on la laisse s'étendre dans de nouveaux domaines. Ce processus peut se faire très naturellement; il n'est pas nécessaire qu'il y ait stress ou tension. Simplement relâche, détends-toi et sens-toi changer et t'épanouir aussi naturellement que tu respires, en passant de l'ancien au nouveau.

10 MAI

N'oublie jamais de remercier pour chaque leçon que tu apprends, aussi difficile soit-elle. Prends conscience que seul le meilleur en sortira infailliblement, et que chaque difficulté n'est qu'un pas sur le chemin. D'importantes leçons doivent être apprises, et plus vite tu les apprendras, mieux ce sera. N'essaie jamais de les éviter ou de les contourner, mais prends-les pour ce qu'elles sont et fais-leur face honnêtement et sans détour. Ne sois jamais comme une aiguille de tourne-disque coincée dans un sillon, à répéter sans cesse les mêmes vieilles erreurs. Si tu veux changer, tu peux le faire. Si tu veux être différent et vivre une vie victorieuse, tu n'as qu'à le décider et tu le feras. Pourquoi ne pas commencer dès maintenant à voir le meilleur dans la vie et à aimer celle-ci comme elle devrait être aimée?

11 MAI

JE SUIS la Source de toutes choses. JE SUIS la Source de tes abondantes réserves. Pense « abondance »; pense « prospérité ». Jamais, une seule seconde, ne pense « manque » ou « pauvreté ». Quand tu penses « limitation », tu crées la limitation; tu l'attires à toi. Avant même de t'en rendre compte, tu constateras que tu as bloqué le libre flot de Mes ressources sans limites.

La prochaine fois que tu te souffriras d'un manque quelconque, ne blâme pas les circonstances, tes conditions de vie ou ta situation, mais prends du temps pour regarder au fond de toi et voir ce qui, en toi, cause le bloquage. Est-ce la peur de manquer de quelque chose? La peur peut créer un bloquage plus rapidement que n'importe quoi d'autre. Décharge-toi sur Moi de toutes tes peurs et de tous tes soucis et laisse-Moi te soutenir. Laisse-Moi te remplir de pouvoir et de force, de foi et de croyance. Une fois que tes valeurs spirituelles seront justes, tu verras que le reste de ta vie se mettra en place en une véritable perfection.

12 MAI

Vous ne pouvez Me connaître, marcher sur Mon chemin et faire Ma volonté si vous ne M'aimez pas; et vous ne pouvez pas M'aimer à moins de vous aimer les uns les autres. Beaucoup d'âmes parlent de leur amour pour Moi, et pourtant elles ne savent pas ce que cela veut dire de s'aimer elles-mêmes et d'aimer leurs compagnons humains. La clé est toujours l'amour, et la leçon la plus importante à apprendre est aimer.

Tu dois apprendre à aimer ce que tu fais, aimer les âmes avec lesquelles tu es, aimer ton environnement, aimer ton lieu de vie, aimer l'air même que tu respires, le sol même où tu marches. Aime tout ce que voient tes yeux. Apprécier quelque chose n'est pas suffisant; tu dois l'aimer et l'aimer de tout ton cœur. Il est bon, de temps à autre, de faire le point sur toi-même et de voir quel amour il y a en toi. Considère ta vie de tous les jours et vois quel amour tu mets dans tout ce que tu fais, dis et penses.

13 MAI

Cesse de te modeler sur qui que ce soit et prends du temps pour rechercher en toi et trouver comment j'ai besoin de toi et comment tu t'insères parfaitement dans l'image globale. Ne sois jamais à la mauvaise place, ou désaccordé et à contre-temps. Lorsque tu peux être toi-même, tout stress et toute tension disparaissent parce que tu n'essayes plus d'être quelque chose que tu n'es pas. En fait tu n'essaies plus; tu es, simplement.

Tu es donc dans une paix parfaite à l'intérieur et cela se reflète à l'extérieur. Paix, tranquillité et sérénité émanent de toi. Tu crées la bonne atmosphère où que tu ailles. Tu es une bénédiction, une aide pour toutes les âmes qui croisent ton chemin; tu les élèves, et tu crées la paix et l'harmonie dans le monde autour de toi. Maintenant laisse Ma paix et Mon amour te remplir et t'envelopper. Elève ton cœur et rends grâce éternellement parce que JE te révèle le chemin.

14 MAI

Si tu cherches avec diligence, tu trouveras certainement: le « faire-un » avec Moi, la Source de toute vie. Mais tu dois prendre du temps pour chercher. C'est quelque chose qui ne te tombera pas tout cuit dans la bouche sans qu'il y ait en toi le profond désir de Me connaître, de connaître la vérité, et de chercher jusqu'à ce que tu trouves ce que cela signifie pour toi. Cette profonde expérience spirituelle de connaissance intérieure ne vient qu'aux âmes qui veulent savoir; donc ne barbote jamais vaguement dans des expériences spirituelles. Il ne tient qu'à toi d'aller de l'avant et d'en faire l'expérience à l'intérieur. Comme la vie est complètement vide et futile tant qu'on ne commence pas à la vivre pleinement, et à tout mettre à l'épreuve pour voir si cette vie spirituelle est pratique et digne d'être vécue ou non. Commence maintenant à faire quelque chose dans ce sens. Qu'il n'y ait pas de spiritualité de salon. Laisse-la vivre et vibrer et être visible aux yeux de tous. Maintenant, donne-Moi de te voir vivre une vraie vie.

15 MAI

Aie foi en toi-même et en ta capacité de faire toute chose avec Mon aide. Alors tout ce que tu entreprendras dans la vie sera achevé en une véritable perfection et avec une joie réelle. La vie est là pour qu'on en profite, alors pourquoi la traverser en traînant les pieds comme si tu portais un lourd fardeau qui t'accablait? Même si tu as de lourdes responsabilités, il n'est pas nécessaire d'en être accablé. Quand ton attitude à leur égard est positive, tu peux aimer ces responsabilités de tout ton cœur, sachant que tu n'as pas à les porter seul. Car JE SUIS là et tu peux partager toute chose avec Moi. Tu n'es jamais seul.

Plus vite tu mesureras cela et l'accepteras comme un fait, plus vite ton attitude envers tout ce que tu entreprends changera, et plus vite tu seras capable de t'ajuster à la situation dans laquelle tu es, et capable d'aimer tout ce que tu fais.

16 MAI

Que les paroles de ta bouche et les méditations de ton cœur soient dignes de Moi à tout moment. Il est mieux de rester silencieux et de ne rien dire que d'ouvrir la bouche et permettre à des mots que tu peux regretter dès qu'ils ont été dits, de franchir tes lèvres. Parler sans réfléchir peut causer de la peine et de la souffrance inutiles; apprends donc à contrôler ta langue, et tourne-la sept fois avant de parler. Proférer une parole blessante prend à peine une seconde, mais en guérir la blessure demande beaucoup de temps.

Si tu apprends à faire tout pour Mon honneur et pour Ma gloire, tu ne t'égareras pas. Si seulement tu prenais du temps et t'armais de patience, tu verrais l'étincelle divine au fond de chacun. Quand tu le feras, il te sera possible de stimuler cette étincelle et tu n'essaieras jamais de l'éteindre par la critique, l'intolérance et le manque de compréhension. Tu sauras que toutes les âmes sont égales à Mes yeux.

17 MAI

Toute chose fait partie du tout, et tu fais partie de ce tout. Lorsque tu t'en rendras pleinement compte et que tu pourras l'accepter, tu ne ressentiras plus jamais la séparation. Tu ne pourras plus jamais te séparer de cette globalité parce que c'est le fait de vivre, de mettre en pratique qui lui donne vie, force et réalité. Commence dès maintenant à vivre et à mettre en pratique tout ce que tu as appris, et ne laisse plus ces leçons demeurer en toi comme des mots vides et sans réalité.

Une graine ne pousse pas tant qu'elle n'a pas été enfouie dans le sol et qu'on ne lui a pas procuré le bon environnement. Une âme ne s'étend pas, ni ne grandit, ni ne trouve son expression propre tant qu'elle ne se trouve pas dans le bon environnement, entourée d'amour et de compréhension. Dans ces conditions, il commence à se passer des choses, et très rapidement des changements surviennent. L'ancien s'efface dans la lumière du splendide nouveau, et la croissance et l'expansion de la conscience peuvent se faire sans aucune restriction.

18 MAI

Fais à autrui ce que tu voudrais que l'on te fasse. Prends du temps pour penser à cette loi et puis qu'elle guide tes actes. Au fur et à mesure que tu la mets en pratique, tu verras que tout égoïsme et souci pour toi-même disparaîtront, et ton amour pour tes compagnons humains prendra la première place. C'est lorsque tu penses et vis pour les autres que tu trouves la vraie liberté et le vrai bonheur. Lorsque tu es dans cet état de conscience élevé, tout peut arriver, car la vie peut couler librement sans aucune obstruction. Refuse de voir l'obstruction; ne vois que des occasions! Lorsque tu te trompes, remets-toi dans le bon chemin, et apprends à travers toute chose.

Il existe une réponse à chaque problème; cherche jusqu'à ce que tu l'aies trouvée. Tu n'as jamais besoin de chercher en vain, car si tu cherches chaque réponse avec diligence, tu la trouveras sûrement. Mais souviens-toi, n'attends jamais que tout te tombe tout cuit dans la bouche si tu ne joues pas ton rôle et si tu ne fais pas ce qui doit être fait. J'aide les âmes qui participent.

19 MAI

Laisse hier derrière toi et ne perds plus de temps à t'attarder sur les fautes et les échecs qui peuvent avoir gâché la journée; c'est fini et passé. Rends grâce pour cette nouvelle journée, une journée sans aucune tâche. Elle est pure et splendide maintenant, et il ne tient qu'à toi de la conserver ainsi. Il ne tient qu'à toi d'y pénétrer d'un pas sûr avec la confiance et la foi absolues que cela va être une journée merveilleuse.

Tout va se mettre en place parfaitement; tout va se dérouler harmonieusement. Ce sera une joie et un délice de parler à toutes les personnes que tu rencontreras, et pas une seule pensée ou idée négative ne pénètrera ta conscience. Dans la nouveauté du jour tout est très très bien. Tout est parfait et, avec Mon aide constante et sous ma conduite, tu vas entretenir cet état de choses, en restant pleinement conscient de Ma réalité et de Ma divine présence, et en Me servant dans le calme et la confiance.

20 MAI

Là où JE SUIS, il y a liberté. Là où JE SUIS, il y a plénitude de vie, il y a joie indicible. Toutes les âmes peuvent trouver cet état de conscience, si seulement elles veulent bien prendre du temps pour être en silence et regarder à l'intérieur d'elles-mêmes. JE SUIS en toi, alors cesse de chercher au-dehors. Cesse de courir après des chimères, et trouve ce que tu cherches tout au fond de toi. A quoi cela te sert-il de connaître tous ces faits en théorie?
Pourquoi ne pas cesser de vivre en théorie et commencer à mettre en pratique tout ce que tu sais? Pourquoi ne pas commencer dès maintenant à devenir pleinement conscient de Ma réalité et de Ma divine présence? Pourquoi ne pas M'inviter à partager avec toi tout ce que tu es, et prendre du temps pour marcher et parler avec Moi, et pour écouter Ma petite voix tranquille? Viens plus près, toujours plus près. Tout au fond de toi, sens cette Unité absolue, et la merveille d'être dans une paix parfaite parce que tu as conscience de ton unité avec Moi.

21 MAI

N'essaye jamais de te mêler du chemin de qui que ce soit. Toutes les âmes doivent trouver leur propre chemin et atteindre le but de leur manière propre. Certaines peuvent le faire à travers la méditation, certaines à travers la contemplation, certaines à travers la prière, certaines à travers le travail, et certaines à travers le contact avec les gens. Laisse toutes les âmes trouver leur propre chemin et le suivre.

Ne prends pas de chemins sans issue, n'erre pas sur des chemins de traverse, perdant ainsi une énergie et un temps précieux. Suis le chemin étroit et en ligne droite. Garde les yeux fixés sur le but: réaliser l'Unité absolue avec Moi, le Seigneur ton Dieu, la divinité en toi. Ne sois jamais découragé quand la route est dure et rude, mais continue et sache que tu y arriveras.

Cette vie n'est pas pour les âmes timorées, qui ont peur de faire face à la réalité et de marcher tout droit dans la lumière. Sois fort et aie du courage. Mets ta main dans la Mienne, et Je te guiderai à chaque pas du chemin, si seulement tu veux bien Me laisser faire.

22 MAI

Si tu ne permets pas à un tout petit enfant d'agir par lui-même, se nourrir, marcher, s'habiller, écrire, dessiner, s'exprimer, il ne se développera jamais, ne deviendra jamais indépendant et ne sera pas capable de se tenir sur ses propres jambes ni de prendre ses propres décisions.

Tu dois rester en arrière et lui permettre de faire des erreurs et de prendre beaucoup de temps pour maîtriser ce qu'il est en train d'apprendre. Tu dois être très patient, attendre et regarder, aussi tenté sois-tu de le faire pour l'enfant afin de gagner du temps. Ouvre les yeux et prends conscience que la vie est une salle de classe dans une école, et que tu apprends tout le temps.

Combien de fois dois-Je me tenir en arrière et, avec beaucoup d'amour, te regarder te débattre et lutter avec la vie, afin que tu puisses apprendre une leçon d'importance vitale, une leçon qui ne sera jamais oubliée une fois qu'elle a été apprise et maîtrisée. J'ai un amour et une patience infinis.

23 MAI

Quoi que tu fasses, fais-le avec amour. Fais-le pour Mon honneur et pour Ma gloire. Et ne sois jamais inquiet.

Lorsque tu fais toute chose avec l'attitude juste, elle ne peut qu'être parfaitement faite, alors adopte cette attitude juste pour tout ce que tu fais. Garde toujours présents les mots: « le travail est l'amour rendu visible »; alors tu travailleras avec joie et satisfaction, et le travail ne sera jamais une corvée ou quelque chose qui « doit » être fait. Quelle différence l'attitude juste envers le travail fera pour toi et pour toutes les âmes autour de toi!

Si tu veux réussir dans ce que tu fais, apprends à l'aimer et traite-le de la bonne manière, avec cette attitude juste. Souvent il s'agit de changer ton attitude négative en une positive, ce qui peut élever le travail le plus ordinaire. Chaque âme se sent en harmonie avec un travail différent. Et toi, avec quoi te sens-tu en harmonie? Y a-t-il quelque chose que tu aimes passionnément faire? Alors fais-le!

24 MAI

Sors de ton petit trou et élargis ta conscience, et réalise qu'il n'existe pas de limite. Il y a beaucoup de gens qui ne peuvent pas voir plus loin qu'eux-mêmes ou le groupe ou la communauté où ils vivent. Ils sont tellement liés par des petites choses mesquines qu'ils ont de la difficulté à grandir de quelque manière que ce soit. C'est là que d'immenses changements sont nécessaires, et au plus vite.

Ne sois pas satisfait uniquement par ce que tu peux comprendre, mais sois prêt à aller plus loin, à oser aller là où tu n'as plus pied et à faire ce qui est apparemment impossible. C'est ainsi que tu progresses. Accepte d'être étiré jusqu'à être sur le point de craquer, et encore plus loin! Vis aux confins de quelque chose de complètement nouveau. Ne crains pas le nouveau et l'inconnu, mais fais simplement un pas à la fois dans la confiance et la foi absolues, en sachant que chaque pas te conduira vers le merveilleux ciel nouveau et la merveilleuse nouvelle terre.

25 MAI

Peux-tu dire sincèrement que tu aimes tes compagnons humains, que tu t'intéresses à eux, que tu les apprécies et les connais comme ta propre famille? Ou te contentes-tu de les tolérer et trouves-tu que c'est un véritable effort d'avoir à te frotter à eux?

Tu ne peux pas dire que tu M'aimes si tu n'aimes pas tes compagnons humains, car ces relations sont tissées de manière si serrée qu'il est impossible d'aimer l'un sans l'autre.

Passes-tu ton temps à choisir qui tu vas aimer et qui tu sens qu'il te serait vraiment impossible d'aimer?

Il ne devrait y avoir aucune discrimination en amour, car l'amour divin embrasse tout de la même façon. Il voit toute personne à Mon image et à Ma ressemblance, peu importe la couleur, la race, le sexe, la croyance ou la religion.

Il te faudra atteindre le point où tu pourras voir et comprendre l'Unité de toute vie, connaître ce que signifie vraiment la famille humaine, et Me connaître comme étant la source de tout.

26 MAI

Fais descendre Mon ciel sur la terre. Il ne tient qu'à toi de le faire par ta manière de vivre et par ton attitude envers la vie. La vie est merveilleuse, mais tu dois ouvrir les yeux et en voir la merveille et la splendeur. Tu dois être prêt à voir le bon côté de la vie et à te concentrer sur lui, à ignorer le mauvais, le négatif et le destructeur, ne leur donnant ainsi aucune force de vie. Les merveilles et la beauté de la nature t'entourent, et pourtant il t'arrive de traverser une journée entière sans même remarquer ton environnement. Combien de choses perds-tu dans la vie par le simple fait d'y fermer ta conscience et de refuser de l'élever vers l'état où tu deviens un avec toute vie. Prends du temps pour t'arrêter, regarder et écouter, de façon à ne rien perdre et à pouvoir tout apprécier. Puis rends grâce pour tout. Commence cette journée avec l'intention de créer un monde meilleur autour de toi!

27 MAI

Toute âme a, de temps en temps, besoin de se retirer du monde pour trouver la paix qui dépasse tout entendement. Chaque âme a besoin d'être stabilisée, et cela ne peut se faire que dans la paix et le silence. Une fois que cette stabilité intérieure s'est établie, tu peux aller n'importe où et faire n'importe quoi sans que le chaos et la confusion extérieurs ne t'affectent en aucune façon.
C'est aller dans le lieu secret du Plus-Haut, c'est trouver ton Unité avec Moi qui te permet de continuer lorsque tu sens que tu es au bout du rouleau et ne peux faire un pas de plus. Ce sont ces pas dans l'inconnu, dans la foi, dans Ma force, qui font des merveilles et changent des vies. Ce sont ces pas qui permettent à l'impossible de devenir possible et font descendre Mon royaume sur la terre, ce glorieux nouveau ciel et cette glorieuse nouvelle terre. Avance toujours vers ce but. Change, et change vite, quand le changement est nécessaire. JE SUIS avec toi, toujours. Puise en Moi!

28 MAI

Avant d'escalader une haute montagne, tu testerais sûrement tout ton équipement pour voir s'il est en bon état et si la corde n'a aucun défaut, car ta vie même en dépend. Tu choisirais un bon guide et aurais besoin d'avoir une confiance absolue en cette personne. Il te faudrait avoir le désir de suivre les instructions du guide et d'obéir à ses ordres sans poser de question. Il en est de même avec cette vie spirituelle.
Avant d'avoir appris la discipline et l'obéissance, et d'avoir choisis de faire Ma volonté et d'obéir à Ma voix, tu ne peux espérer faire le premier pas dans cette vie d'aventure. Ce serait dangereux. Si tu te sens coincé dans une ornière, fais le point et trouve ce qui, au fond de toi, te retient. Que fais-tu concernant la discipline personnelle? Peux-tu déjà te dire « non » à toi-même? Qu'en est-il de l'obéissance? Es-tu prêt à suivre Ma volonté, quel qu'en soit le prix?

29 MAI

Tu es l'étincelle de lumière en Mon esprit. Tu es l'étincelle d'amour en Mon cœur. Lorsque tu pourras accepter cela, lorsque tu pourras te voir comme le microcosme du macrocosme, jamais plus tu ne te dévaloriseras ou ne penseras du mal de toi-même. Tu prendras conscience que tu es vraiment fait à Mon image et à Ma ressemblance, que nous sommes un, et que rien ni personne ne peut nous séparer. Si tu te sens séparé de Moi d'une quelconque manière, cela vient de toi, car Je ne Me sépare jamais de toi. Tu es individuellement ce que JE SUIS universellement.
Est-il très étonnant qu'il te faille renaître pour accepter cette vérité? Tant d'âmes se sont égarées si loin de Moi, et se sont séparées au point qu'elles M'ont placé si haut dans les cieux qu'on ne peut pas M'approcher. JE SUIS en toi, caché dans tes profondeurs mêmes, et j'attends que tu Me reconnaisses et Me fasses émerger.

30 MAI

On peut te parler des vérités spirituelles, mais ce n'est qu'en les vivant, les mettant en pratique dans ta vie et en les démontrant qu'elles deviennent réalité pour toi, vivent et vibrent et ont leur essence en toi. Tu dois penser par toi-même, vivre par toi-même et trouver tes propres solutions. Tu dois te tenir debout sur tes propres jambes et ne jamais t'attendre à ce que quelqu'un d'autre le fasse pour toi. Tourne-toi vers l'intérieur, recherche au-dedans chaque réponse et tu la trouveras. Cela peut prendre du temps.

Il se peut que tu aies à apprendre à être patient et à Me servir, mais quand ta foi et ta croyance seront assez fortes, tu trouveras tout ce que tu cherches. Apprends à croître et à t'élargir.

Apprends à puiser à la source de tout pouvoir, de tout savoir, de toute sagesse et de toute compréhension. Tourne-toi sans cesse vers Moi, le Seigneur ton Dieu, la divinité en toi! Je ne te ferai jamais défaut ni ne t'abandonnerai, car tu sais avec certitude désormais que JE SUIS avec toi, toujours.

31 MAI

Commence dès maintenant à élargir ta conscience et à penser « abondance » en toute chose, car c'est seulement ainsi que tous tes besoins pourront être comblés. Je veux que tu saches que c'est Mon bon plaisir de te donner le royaume, car c'est du royaume que tout le reste s'écoule. C'est pourquoi tu dois le rechercher en premier; puis tout le reste te sera donné de surcroît. Je connais chacun de tes besoins, et chacun de tes besoins est merveilleusement comblé. Crois-le de tout ton cœur.

Ne laisse jamais, à aucun moment, entrer en toi un seul doute pour en gâcher la merveille. Accepte Ma parole, vis par elle, et vois s'accomplir miracle sur miracle. Le temps des miracles n'est assurément pas fini. Si tu vis une vie entièrement consacrée à Moi, tu seras le témoin de merveilles innombrables. Tu verras l'impossible rendu possible. Tu reconnaîtras Ma main en tout. Ton cœur débordera d'amour et de gratitude pour tout ce qui se passera.

JUIN

Une grosse et lourde porte me fut montrée,
très difficile à ouvrir parce que les gonds
étaient rouillés. Puis je vis que l'on mettait
quelques gouttes d'huile sur les gonds et
qu'on manœuvrait doucement la porte
jusqu'à ce qu'elle puisse être ouverte
par une simple pression du doigt.
J'entendis les mots:

Utilise de plus en plus l'huile de l'amour,
car c'est l'amour qui facilite les choses!
C'est l'amour qui trouvera toujours un chemin.
Ouvre ton cœur et
laisse l'amour couler librement!

1er JUIN

Pourquoi ne pas t'habituer à aborder la vie d'un esprit juste, joyeux avec l'espoir et la foi absolue que seul le meilleur t'attend? Je veux que tu aies tout ce qu'il y a de meilleur dans la vie. Je ne désire pas que tu traverses la vie en portant un lourd fardeau sur les épaules, accablé par les soucis du monde. J'ai besoin que tu sois libre afin que Je puisse travailler en toi et à travers toi. Cesse d'être inquiet, et décharge-toi sur Moi de tous tes soucis et fardeaux! Sache que le royaume des cieux est en toi; il est là, il attend que tu le reconnaisses. Tu dois le savoir, y croire et puis le faire émerger. Le royaume des cieux est un état d'esprit, et tout le monde doit le rechercher et le trouver. Toute âme doit le désirer fortement avant de pouvoir le trouver. Il faut que le désir soit là, et il doit être si fort que rien ne pourra se mettre en travers du chemin.

2 JUIN

Tu peux tout faire lorsque ta foi et ta confiance sont en Moi, et que tu n'as ni doutes ni craintes qui te retiennent. Il n'existe rien que tu ne puisses faire, rien que tu ne puisses accomplir dans cette vie, lorsque ton attitude et ta façon de voir sont justes et que tu as une entière confiance en ta capacité à le faire. Tu as en toi tout pouvoir, toute sagesse, toute force, toute intelligence et toute compréhension.

C'est Moi, en travaillant en toi et à travers toi, qui te permet d'accomplir ce qui, apparemment, est impossible. Ne crains jamais de viser haut; ne crains jamais de t'attendre à ce que l'impossible devienne possible. Ne vis pas coincé dans tes limites, mais bien au-delà de toi-même, et ainsi donne-Moi l'occasion de te montrer comment tout est possible avec Moi. Si tu ne M'en donnes pas l'occasion, comment peux-tu espérer savoir ce qui peut être accompli lorsque JE SUIS en contact, Je guide et dirige ta vie? Laisse-toi aller, laisse-Moi prendre les rênes et vois ce qui se passe!

3 JUIN

Où sont ta foi et ta confiance? Tu ne peux pas vivre cette vie spirituelle sans foi ni confiance en Moi. Laisse-Moi guider chacun de tes pas! Recherche-Moi constamment dans le silence, et laisse-Moi te révéler le prochain pas à faire; puis, fais-le sans peur et avec une véritable joie. Comment peux-tu espérer entreprendre de plus grandes tâches dans la vie et obtenir de plus grandes responsablités tant que tu n'as pas appris à obéir et à mener à bien les plus simples? Comment peux-tu espérer prendre le monde dans ton cœur si tu n'as même pas appris à aimer ton prochain ni à travailler dans la paix et l'harmonie avec les autres? Un enfant doit apprendre à marcher avant de pouvoir courir. Tu dois apprendre à aimer les autres et à apporter la paix et l'harmonie dans ton entourage immédiat avant de pouvoir faire advenir l'harmonie dans le monde. Mets d'abord de l'ordre en toi. Alors Je pourrai t'utiliser pour aider et servir tes semblables.

4 JUIN

Ne sois jamais entièrement satisfait de ta façon de voir la vie. Il y a toujours quelque chose de nouveau et de passionnant à apprendre, et tu ne peux espérer le faire que si tu restes ouvert et sensible à tout ce qui se fait. La véritable nouveauté n'est pas toujours facile à comprendre. Ne la laisse pas te troubler, mais sois prêt à l'accepter dans la foi, et sache que, ce faisant, ta compréhension grandira. Tu sauras d'une connaissance intérieure profonde si ces idées nouvelles, ces nouvelles façons d'être et de faire et ces nouvelles pensées sont vraies ou non. Si tu as le profond sentiment qu'elles sont justes, accepte d'assimiler ces vérités, même si tu ne les comprends pas pleinement. Petit à petit la lumière viendra, et tu t'éveilleras à la signification de tout cela. Tu ne peux pas vivre jusqu'à la fin de tes jours de la même manière. Tu dois avoir le désir de t'aventurer dans quelque chose de nouveau.

5 JUIN

Sais-tu ce que veut dire aimer, sentir ton cœur rempli d'une telle joie et d'une telle gratitude que tu ne peux les contenir, et qu'il faut qu'elles débordent vers toutes les âmes autour de toi? C'est une magnifique sensation de bien-être, et d'unité avec toute vie. Crainte, haine, jalousie, envie et avarice disparaissent lorsque l'amour est là, car il n'y a pas de place pour les forces négatives et destructrices en présence de l'amour. Lorsque ton cœur est froid et que tu n'éprouves aucun amour, ne désespère pas, mais regarde autour de toi et trouve quelque chose que tu puisses aimer. Cela peut être une très petite chose, mais cette petite étincelle a la capacité d'allumer ton être entier jusqu'à ce que l'amour s'embrase en toi. Une petite clé peut ouvrir une lourde porte. L'amour est la clé de chaque porte fermée. Apprends à l'utiliser jusqu'à ce que toutes les portes aient été ouvertes. Commence à l'endroit où tu es. Ouvre les yeux, ouvre ton cœur, découvre un besoin et réponds-y!

6 JUIN

Tout ce qui se passe dans ta vie découle de ta conscience. Elève-la et tu élèves tout ton être, toute ta façon de voir la vie, et tu commences à vivre la vie pleine et splendide qui est ton authentique héritage. On peut t'en parler, et tu peux voir les autres la vivre; mais tant qu'elle ne pénètre pas ta conscience et que tu ne peux pas accepter qu'elle t'est destinée, rien ne se passe. L'âme la plus simple en apparence, qui est semblable à celle d'un enfant, peut accepter le royaume des cieux bien plus facilement que l'âme la plus profondément intellectuelle, qui pense connaître toutes les réponses avec son mental, mais dont la conscience n'a pas été élevée à de plus hauts niveaux. Toute âme peut atteindre un état de conscience élevé. Mais c'est quelque chose qui doit être accompli de l'intérieur, à partir d'une connaissance intérieure, d'une inspiration et d'une intuition qui ne nécessitent aucun savoir ni sagesse extérieurs. Tout est là, au fond de chaque âme, simplement dans l'attente qu'on le reconnaisse, qu'on le fasse émerger et qu'on le vive.

7 JUIN

Pourquoi ne pas exceller dans tout ce que tu fais? Pour être bon en quoi que ce soit, tu dois t'y exercer sans cesse jusqu'à ce que tu en acquières la maîtrise. Pourquoi imagines-tu pouvoir avoir des résultats parfaits dans cette vie spirituelle si tu ne fais qu'y barboter? Cesse d'être un « barboteur » et plonges-y de tout ton cœur. Pour fonctionner, cette vie demande tout ce que tu as, alors pourquoi ne pas donner tout ce que tu as et voir ce qui arrive? Peu importe le domaine, rien ne vivra ni ne deviendra partie de toi tant que tu ne l'auras pas mise en pratique et vu comment ça marche. Commence dès maintenant à pratiquer l'art de vivre cette vie spirituelle. Continue à en faire l'expérience, et ne sois pas découragé si tu n'obtiens pas de résultats immédiats. Continue simplement à en appliquer les principes et, finalement tu verras comment tout cela se met merveilleusement en place. C'est une vie vraiment splendide quand tu es prêt à t'y donner complètement.

8 JUIN

Quelle est ta première pensée au réveil? Est-ce une pensée de pure joie pour une merveilleuse nouvelle journée qui commence, ou appréhendes-tu ce qu'aujourd'hui pourrait apporter? Est-ce un effort pour t'accorder à ce jour et pour te mettre à son rythme? Peux-tu t'éveiller avec un chant de louange et de gratitude dans le cœur? Quelle différence cela fera pour toi lorsqu'il en sera ainsi, lorsque tu pourras commencer la journée en mettant des lunettes roses et voir toute la journée au travers. Pars du bon pied. Ne t'inquiète pas pour demain; la seule chose importante, c'est aujourd'hui, ce que tu fais aujourd'hui et ce que tu en fais. Sache simplement que tu peux réussir et que tu réussiras vraiment cette jounée et que tout ce que tu fais sera parfaitement bien exécuté. Sache que tout ce que tu dis sera dit avec amour, que toutes tes pensées seront des plus élevées, et qu'aujourd'hui, seul le meilleur t'appartiendra!

9 JUIN

Tu fais partie de Mon plan infini! Tu as un rôle à jouer dans le tableau global. Cela peut être seulement un très petit rôle; néanmoins il est essentiel pour compléter le tout. Ne ressens jamais, à aucun moment, que ton rôle est si petit qu'il n'est pas nécessaire. Qui es-tu pour juger? J'ai besoin de toi à la place où tu dois être, jouant ton rôle spécifique. Si tu n'as pas encore trouvé quel est ce rôle, cela ne tient qu'à toi de chercher et de continuer à chercher jusqu'à ce que tu aies trouvé. Visualise-toi en train de t'intégrer parfaitement à la place où tu dois être, de donner ce que tu as à donner au tout, et de faire partie de cette merveilleuse globalité, n'étant plus séparé ni divisé. Personne ne peut le faire pour toi. Tu dois faire tes propres recherches et tes propres découvertes par toi-même. Personne d'autre ne peut vivre ta vie à ta place. Toi seul peux la vivre.

10 JUIN

La vie ne peut plus jamais être ennuyeuse ou routinière, une fois que tu as posé le pied sur ce chemin spirituel, car cela lui confère un mouvement et fait que rien ne demeure statique. Le nouveau pourra se déployer librement et parfaitement tout autour de toi et en toi. Es-tu satisfait d'avancer toujours de la même façon? Tu es libre de faire ainsi, mais ne t'attends pas à des événements dans ta vie qui t'élèvent beaucoup, si tel est ton choix. Tu ne peux pas t'attendre à de grands changements; tu ne peux pas t'attendre à ce que Je t'utilise pour aider à concrétiser le nouveau ciel et la nouvelle terre. Les âmes qui choisissent de faire ce qu'elles veulent doivent être prêtes à en accepter les conséquences, mais les âmes qui ont le désir de faire Ma volonté et de marcher dans Mon chemin inaugurent le Nouvel Age. Pourquoi attendre demain pour faire ton choix? Choisis maintenant!

11 JUIN

C'est dans le calme que tout se clarifiera. C'est dans le calme que tu peux t'apaiser et Me trouver. JE SUIS toujours là, mais tu es aveugle à cette merveille, jusqu'à ce que tu deviennes tranquille et Me recherches dans le silence; et cela, tu peux le faire à tout moment. Plus tu le mets en pratique, plus cela devient naturel jusqu'à ce que tu puisses le faire aussi naturellement que respirer. Tu n'es pas obligé de te précipiter au-dehors pour être seul et Me trouver. Tu pourras Me trouver à tout moment et dans tout ce que tu fais. Peu importe le chaos ou la confusion qui t'environnent, ou quel bruit extérieur il peut y avoir. Tu peux te mettre dans cette paix et ce silence intérieurs et Me trouver. Quand tu M'auras trouvé, la lumière de la vérité illuminera chaque situation, car là où JE SUIS, il n'y a pas d'obscurité; il n'y a pas de problème. Il n'y a que la paix.

12 JUIN

La beauté de la vie est partout autour de toi. Ouvre les yeux et découvre-la, absorbe-la, apprécie-la, reflète-la et fais-en partie. Si tu t'attends à voir la beauté, tu la verras; tandis que si tu t'attends à voir la laideur, c'est elle que tu verras. Le choix t'appartient toujours. Abreuve-toi aux fontaines de la beauté et tu ne pourras t'empêcher de la refléter, car ce qui est au-dedans se reflète au-dehors. Tu es comme un miroir; tu ne peux cacher ce qui est en toi, quelle que soient les tentatives que tu puisses faire, car ce qui est à l'intérieur ne peut être retenu. Tôt ou tard, cela s'exprimera dans le monde extérieur; alors, laisse-le couler librement, et n'essaie jamais d'arrêter ce flot. Elève ta conscience et tu seras capable de voir la beauté en toute chose et en chacun. C'est moi que tu verras reflété à ce moment-là, car JE SUIS beauté, harmonie et perfection. Apprends à exprimer cette beauté et cette harmonie dans tout ce que tu penses, dis et fais.

13 JUIN

Il est tellement important d'avoir la bonne attitude envers toute chose. Tu ne peux pas croître et t'épanouir spirituellement si ton attitude est négative et que tu ne vois que les difficultés et les obstacles dans la vie. Il y a du bon dans toute situation, si seulement tu voulais bien prendre le temps de le chercher, de même qu'il y a toujours de quoi rendre grâce. C'est lorsque tu n'as pas d'amour dans le cœur que tu es aveugle à ce qu'il y a de meilleur dans ta situation, à ce qu'il y a de bon dans les âmes qui t'entourent, et à cette merveilleuse vie qui est tienne. Tu es tellement béni!

Mais si tu n'es pas prêt à l'accepter, à le reconnaître et à en rendre grâce, tu te promènes avec un bandeau sur les yeux, et tu te plains de ton sort. Prends du temps pour faire le point sur toi-même, et si tu te sens complètement coincé, la façon la plus rapide de changer cette situation est de commencer à donner aux autres. La vie est ce que tu en fais. Que fais-tu de ta vie?

14 JUIN

Pourquoi te condamner pour tes apparentes incapacités, erreurs, fautes et échecs? Pourquoi, au lieu de t'attarder sur le négatif dans ta vie, ne pas transformer ces faiblesses en forces et tes fautes et échecs en vertus, en laissant le positif s'exprimer dans ta vie? Découvre, tout au fond de toi, la vraie beauté, la vraie vertu et la vraie bonté! Aie foi qu'elle est là et tu la trouveras quand tu la chercheras. Si tu refuses de voir le meilleur en toi-même et choisis de t'attarder sur tout le négatif en toi, tu dois être prêt à en accepter les conséquences, car tu attires à toi ce que tu maintiens dans tes pensées. Tu es ce que tu penses. Ne pense qu'au meilleur et c'est le meilleur que tu attireras à toi. Sache que tu peux faire n'importe quoi lorsque JE SUIS avec toi, te conduisant et te dirigeant. Si tu acceptes que JE SUIS en toi, comment pourrait-il en être autrement?

15 JUIN

Tu détiens un grand pouvoir dans tes mains. Veille à bien l'utiliser pour le bénéfice du tout. Le pouvoir peut être utilisé positivement ou négativement; la façon dont tu l'utilises dépend uniquement de toi. Lorsque tu ne veux voir que les meilleurs résultats, et que tu l'utilises positivement, les événements les plus merveilleux peuvent arriver. Lorsque le pouvoir de l'électricité est utilisé de manière positive, il peut faire tourner d'énormes machines; il peut éclairer des villes; il peut faire les choses les plus étonnantes. Mais s'il est utilisé de la mauvaise manière, les résultats peuvent être dévastateurs. Il en est de même avec ce pouvoir spirituel, qui est encore plus grand. Il est là, disponible, mais il doit être utilisé correctement. A ce moment-là, il ne peut en sortir que du bon, et tu verras merveille sur merveille se déployer en toute perfection. Les âmes qui sont prêtes et préparées à utiliser correctement ce pouvoir sont employées, en ce moment, pour participer à l'avènement du nouveau ciel et de la nouvelle terre.

16 JUIN

Veille à avoir un objectif, un but, dans la vie. Ne te satisfais jamais de dériver dans la vie comme un bateau sans gouvernail, balayé par chaque brise de changement; car sans un objectif défini, tu n'iras nulle part. Tu dois savoir où tu vas et ce que tu fais. Bien trop d'âmes sont prêtes à se laisser dériver et, de fait, n'accomplissent rien de très constructif. Trouve la paix et la certitude intérieures et, sans fatigue ni tension, suis le chemin qui est le tien. Fais ce que tu sais devoir faire parce que cela t'a été révélé de l'intérieur, non de l'extérieur. Sache toujours d'une certitude intérieure que ce que tu fais est juste; tu peux alors avancer d'un pas sûr et balayer tous les obstacles avec une force et une conviction réelles. Sache que JE SUIS ta boussole, JE SUIS ton guide, et que Je te guiderai à ton but, peu importe sa difficulté apparente.

17 JUIN

Souviens-toi toujours que toutes les routes mènent à Moi. Certaines peuvent être plus sinueuses et plus tortueuses que d'autres. Certaines peuvent te sembler très étranges et même inutiles, mais que cela ne te trouble pas. Laisse simplement chaque âme trouver son propre chemin et le suivre, et toi, trouve le tien. Peu importe combien il semble différent. Sache que, finalement, vous atteindrez tous le même but: la réalisation de votre Unité avec Moi. Il y a le chemin étroit et en ligne droite qui mène droit à Moi mais, pour beaucoup d'âmes, il semble trop simple et trop direct, et elles ne peuvent accepter qu'il puisse conduire à Moi. Au lieu de cela, elles choisissent les chemins les plus difficiles et les plus tortueux, pensant que par le sacrifice de soi et la souffrance, elles gagnent un plus grand mérite en chemin. Ce combat est complètement inutile, mais les êtres humains ont le libre-arbitre et sont donc totalement libres de choisir n'importe quel chemin. Alors, vis et laisse vivre, et ne sois pas critique vis-à-vis des autres.

18 JUIN

Dans les temps qui viennent, beaucoup d'idées et de façons d'être et de voir seront en conflit. Tu seras mis à l'épreuve jusqu'au bout et abandonné à toi-même. N'essaie pas de t'agripper à tous les brins de paille qui passent à proximité. Cherche simplement à l'intérieur, puise ta force en Moi, et va ton chemin en paix. Tous les doutes et toutes les craintes te quitteront, et tu te tiendras debout, ferme et solide comme un roc dans cette connaissance intérieure. Peu importera combien le vent et les tempêtes feront rage au dehors car tu n'en seras nullement affecté. J'ai besoin que tu sois fort et que tu aies beaucoup de courage, connaissant de l'intérieur la vérité que personne ne peut t'enlever. Ne sois pas aspiré par le tourbillon du conflit et de la détresse dans lequel se débat le monde en ce moment; mais trouve ce hâvre de paix en toi et reconnais-Moi, car JE SUIS ton point d'ancrage, JE SUIS ton refuge. Que Ma paix et Mon amour te remplissent et t'enveloppent!

19 JUIN

Que représente l'âge pour toi? As-tu peur de vieillir? Ou es-tu quelqu'un qui prend les choses comme elles viennent et qui sait et comprend que la fontaine de jouvence se trouve dans sa conscience? Si tu gardes un mental jeune, frais et alerte, le vieillissement n'existe pas. Si tu as beaucoup de centres d'intérêts dans la vie et si tu jouis de la vie pleinement, comment pourrais-tu jamais devenir vieux? Les humains se limitent eux-mêmes quand ils pensent qu'à soixante-dix ans, ils ont atteint la plénitude de la vie. Pour beaucoup d'âmes, ce peut être seulement le commencement, l'éveil à la merveille qu'est la vie, et en s'éveillant, elles commencent à l'aimer. Bannis toute pensée de vieillesse! C'est juste une « forme-pensée » universelle qui est devenue si forte qu'elle est comme une noix très dure, difficile à casser. Commence dès maintenant à réajuster ta conception de l'âge.

20 JUIN

Il est d'importance vitale que tu aies l'attitude juste pour donner! Donne simplement, avec confiance et, par-dessus tout, fais-le avec amour et joie. Toute chose donnée à contre-cœur porte en elle les mauvaises vibrations, et la perfection ne peut donc en sortir. Veille que tout ce que tu fais le soit avec amour, même si tu ne comprends pas bien pourquoi tu le fais. Lorsqu'il est fait avec amour, le travail le plus ordinaire, le plus routinier peut apporter les résultats les plus merveilleux et les plus étonnants; alors laisse l'amour couler librement dans tout ce que tu entreprends. Rends-toi compte qu'on a besoin de ce que tu fais et qu'aucun travail ou acte n'est trop petit ou insignifiant. Quand toutes les âmes donnent le meilleur d'elles-mêmes, le poids et la responsabilité ne pèsent pas sur les épaules de quelques-uns. Le fardeau est allégé pour l'ensemble, jusqu'à ce qu'il ne soit plus un fardeau mais une joie et un plaisir véritables. Surveille ton attitude, et contribue à la joie et à la bonne marche du tout.

21 JUIN

Peu importe si hier n'a pas été tout ce qu'il aurait pu être. Hier est terminé et parti, et tu ne peux rien y faire. En ce qui concerne aujourd'hui, c'est une chose complètement différente; aujourd'hui s'étend devant toi, intact et immaculé, et il ne tient qu'à toi d'en faire le jour le plus merveilleux qui soit. Comment commences-tu chaque jour? Souviens-toi: cela ne concerne personne d'autre. C'est quelque chose que toi et toi seul doit choisir d'accomplir. Essaie de commencer la journée dans la paix et la satisfaction intérieures, en prenant du temps pour être tranquille et pour permettre à cette paix de t'emplir et de t'envelopper. Ne te rue pas dans la journée sans préparation et sans harmonie. Si tu le fais, il est facile de garder avec toi cet état d'esprit au cours de la journée, et de lui permettre ainsi de toucher la totalité de la journée ainsi que toutes les âmes que tu côtoies. Il dépend de toi de choisir ce que ce jour sera et de le manifester tel. Pourquoi ne pas choisir dès maintenant?

22 JUIN

Le changement est la clé qui t'ouvrira toutes les portes, le changement de cœur et d'esprit. Si ta sécurité est en Moi, tu ne craindras pas les changements, aussi radicaux puissent-ils paraître. Sache simplement que chaque changement est pour le meilleur et pour le bien du tout, que ce soit des changements personnels, dans le pays, ou dans le monde. Accepte simplement qu'il faut que ces changements aient lieu, et avance avec eux. Avance et élève-toi et accepte lorsque Je te dis que le meilleur est encore à venir! Tu trouveras le nouveau bien plus merveilleux que l'ancien si tu y pénètres rapidement sans plus de résistance. Pourquoi te rendre la vie plus difficile? C'est ce que tu fais en résistant. Rien ne peut arrêter Ma main. La balle a commencé à rouler; le nouveau jour est là, et tu en fais partie si seulement tu veux bien l'accepter et l'accompagner; autrement tu seras laissé pour compte.

23 JUIN

Comment peux-tu espérer grandir sans être mis en tension, mis à l'épreuve? En quoi reposent ta foi et ta sécurité? D'où tires-tu ta force et ton pouvoir? Essaies-tu de vivre cette vie sur tes propres forces, comptant sur toi-même pour t'en tirer? Si c'est le cas, tu ne pourras pas supporter la fatigue et les tensions tout autour de toi. Mais si tu déposes tout entre Mes mains et si tu Me permets de te guider et de te diriger, tu pourras faire n'importe quoi, parce qu'avec Moi tout est possible. Ressens-tu que le fardeau que tu portes est trop lourd et qu'il t'a été donné de mener à bien une tâche bien trop grande? Pourquoi ne pas commencer dès maintenant à te décharger sur Moi de tout tes fardeaux et soucis, et Me laisser te conduire à travers ces eaux troubles? Je te piloterai à travers chaque difficulté jusqu'à des eaux calmes et tranquilles, et Je te libèrerai de toutes tensions quand tu auras totalement mis ta foi et ta confiance en Moi.

24 JUIN

En ce jour, consacre-toi à Moi, à Mon service et au service de l'humanité. Le service est un merveilleux guérisseur, car si tu t'oublies dans le service, tu verras que tu grandiras et t'épanouiras de la plus merveilleuse des façons. Tu atteindras de grandes hauteurs et sonderas de grandes profondeurs, et ton amour et ta compréhension de la vie commenceront à avoir une signification pour toi. Ce jour t'offrira des occasions sans nombre pour t'étendre et croître. Accepte-les chacune d'un cœur rempli d'amour et de gratitude, et sens-toi grandir en conscience et en sagesse. Vis-le pleinement et abondamment sans aucune restriction ni limitation. Ne t'attends qu'au meilleur en tout et en tous, et vois-le arriver. Garde ton cœur ouvert aux autres. Cherche le meilleur en chacun, et travaille à partir de ce niveau de conscience plus élevé. Encourage chacun de toutes les façons possibles; toute âme a besoin d'encouragement. Tu verras que lorsque tu aides les autres, tu t'aides toi-même à grandir en même temps.

25 JUIN

Cherche et trouve la liberté de l'Esprit. Car là où il y a vraie liberté, il y a paix; et là où il y a paix, il y a amour; et c'est l'amour qui ouvre toutes les portes. Là où règne l'amour, il n'y a pas de critique, pas de condamnation et pas de jugement, car tu sais et comprends que tout est un en Moi et en Mon amour. Tu vois la famille humaine et tu vois que tous sont créés à Mon image et à Ma ressemblance. Tu vas au-delà de la surface jusqu'au cœur des choses, là où il n'y a pas de séparation et où tout se fond en une unité complète. Tu vois le meilleur en tous et en tout. Quand, en toi, tu es dans une paix parfaite, tu ne passes plus ton temps à essayer de changer les autres. Tu apprends simplement à ETRE, et en étant, tu crées un sens d'Unité avec toute vie, et la paix et l'amour règnent en maîtres.

26 JUIN

Une fois qu'un poussin a émergé de sa coquille, ou un papillon de sa chrysalide, il n'y a pas de retour possible, mais il y a un déploiement continu dans le nouveau. Laisse le déploiement être pour toi un processus qui se fait jour après jour, heure après heure, minute après minute. Ressens la jubilation et l'attente dans tout ce qui se produit. Il n'y a jamais de moment ennuyeux dans cette vie si tu restes alerte; il y a toujours quelque chose qui se passe. Laisse-le se faire, et n'essaie jamais d'arrêter le progrès, mais accompagne le mouvement! Je te le dis, tout ce qui se déploie sera pour le meilleur et pour la croissance et le bénéfice du tout. Trouve ce rythme de vie parfait et donne-lui ce que tu as de meilleur. Coule avec lui, non contre lui, car ainsi seulement tu trouveras la paix du cœur et de l'esprit; et quand tu es en paix au-dedans, tu es ouvert et prêt pour que le nouveau se déploie.

27 JUIN

Aie le désir d'avancer sans peur, et d'être pionnier sur des chemins, des idées et des concepts apparemment neufs. Aie le désir de démolir les vieilles barrières et de révéler la lumière de la vérité. Je dis « apparemment neufs » parce que rien n'est neuf. Il s'agit de parcourir le cycle complet: de trouver encore une fois ton Unité avec Moi; d'apprendre encore une fois à marcher et parler avec Moi comme il en était au commencement; de renaître en Esprit et en vérité. Sens-toi croître et t'étendre. Sens l'ancien te quitter, et revêts le nouveau avec joie et en remerciant. Comme ce nouveau est splendide! Comme Mes voies sont merveilleuses! Deviens pleinement conscient de Ma réalité et de Ma divine présence, et réjouis-toi car Mon royaume est là. Laisse Ma paix et Mon amour te remplir et t'envelopper. Elève ton cœur en un amour profond, en une louange et une gratitude profondes, et sois parfaitement en paix à mesure que tu avances dans la journée, que tu fais Ma volonté et marches sur mon chemin, en Me glorifiant.

28 JUIN

Si un placard est plein à déborder et si l'on ouvre les portes, son contenu se déverse au-dehors et rien ne peut l'arrêter. Quand les écluses sont ouvertes, l'eau se précipite en avant avec une puissance et une force terribles, emportant tout avec elle. Il en est de même avec la puissance spirituelle qui est en toi; une fois qu'elle a été reconnue et libérée, rien ne peut en arrêter le flot. Elle se déverse, balayant toute négativité et toute disharmonie, apportant avec elle paix, amour, harmonie et compréhension. C'est l'amour qui triomphera du monde; c'est l'amour qui unifiera toute l'humanité. Donc plus vite tu libèreras cette extraordinaire puissance d'amour en toi et lui permettras de couler librement, plus vite tu contempleras la paix et l'harmonie du monde et l'Unité de toute l'humanité. Quand tu as l'amour au cœur, tu tires le meilleur de chacun, car l'amour ne voit que le meilleur et donc attire le meilleur. N'aie pas peur; ouvre-toi, ne retiens rien, et laisse tout cela couler librement.

29 JUIN

Ne sois pas accablé par tout ce qui doit être fait. Apprends simplement à faire un pas à la fois et sache que chaque pas te rapproche du but. N'essaie pas de courir avant de pouvoir marcher, ou d'entreprendre quelque chose de trop difficile, car tu risques de devoir te traîner sur le chemin avec beaucoup d'effort. Ce n'est pas la bonne attitude; ce n'est pas être empli de Ma joie et de Ma liberté. Cela veut dire que tu essaies de le faire avec tes propres forces; cela veut dire que tu t'es séparé de Moi et que tu as perdu la vision. Arrête ce que tu es en train de faire, et puis change complètement ton attitude. Remets tout entre mes mains, puis détends-toi et aime ce que tu fais d'une façon entièrement nouvelle. Le changement d'attitude peut se produire en un clin d'œil, alors change et change vite, et danse et chante tout au long de ce jour, main dans la main avec Moi!

30 JUIN

Es-tu pleinement conscient de Ma réalité et de Ma divine présence? Te réveilles-tu chaque jour avec un chant d'amour et de gratitude au cœur? Es-tu prêt pour ce que peut t'apporter la journée, quoi que cela puisse être, sachant que ce sera une journée merveilleuse parce que Je te précède pour préparer le chemin? T'attends-tu à ce que le meilleur sorte de ce jour et vois-tu tout se mettre en place parfaitement? Peux-tu voir toute la beauté et la merveille du monde, ou te surprends-tu à t'apesantir sur son état chaotique, à te plaindre du fait que l'humanité en est la cause? Rends-toi compte que sans foi, tu ne peux vivre cette vie, car c'est par la foi que toute chose est rendue possible. C'est par la foi que tu peux faire toute chose, alors que par toi-même, tu ne peux rien faire. Laisse-Moi travailler en toi et à travers toi afin que tous puissent en venir à Me connaître, à M'aimer et à vouloir suivre Mon chemin et faire Ma volonté.

JUILLET

Un puzzle éparpillé sur toute la surface
d'une énorme table me fut montré.
Tandis qu'il était assemblé, je constatai
que chaque pièce se mettait à sa juste place.
J'entendis les mots:

Lorsque tu es à ta place,
et que tu joues ton rôle particulier,
il ne peut y avoir aucun conflit
et mon plan peut se déployer
en une véritable perfection.

1er JUILLET

Réjouis-toi et rends grâce éternellement, car tu sais que tu vis pour toujours. Tu parcours un jour à la fois, tu vis chaque moment pleinement et glorieusement, oubliant le passé, sans inquiétude pour le futur, acceptant simplement que la vie est éternelle et n'a ni commencement ni fin. Tout le temps tu grandis et t'élargis en conscience, tu commences à comprendre le mystère et la merveille que sont la vie éternelle et la réalisation de ton Unité avec Moi, le Créateur de la vie. Pas à pas, tu avances et t'élèves, empli de paix, de tranquillité et de sérénité, prenant conscience que puisque tout repose entre Mes mains, il est inutile de t'inquiéter. C'est lorsque tu essaies de regarder trop loin devant toi que la vie devient un réel fardeau, et que tu apportes peur, incertitude et même manque de foi et de croyance à beaucoup d'âmes. Deviens comme un petit enfant, libre et joyeux, et la vie sera pour toi une continuelle source de délices. Crois en la vie et vis-la pleinement!

2 JUILLET

Tu ne peux rien démontrer à moins de le mettre à l'épreuve. Tu dois marcher dans la foi et faire ce qui semble impossible. Tu dois apprendre à vivre au-delà de toi-même, au-delà de tes limites, pour démontrer qu'avec Moi toute chose est possible. Te contenter de vivre dans ton petit moi confiné, avoir peur de sortir de tes limites, peur de mettre la vie à l'épreuve, ne te mènera nulle part, et tu n'arriveras pas à voir Ma main en toute chose. Ne crains rien! Sache simplement que JE SUIS avec toi, toujours, et que JE guiderai et dirigerai chacun de tes pas. Montre au monde que toutes les choses travaillent ensemble au bien de toutes les âmes qui M'aiment vraiment et Me mettent au premier plan. Attends-toi à miracle sur miracle et vois-les advenir. Contemple la manifestation du nouveau ciel et de la nouvelle terre tandis que tu apprends à vivre cette vie et à la faire fonctionner. Vois se produire merveille sur merveille parce que tu le vis et le mets en pratique.

3 JUILLET

Harmonise-toi, trouve ta propre note, et fais-la résonner haut et clair, car tu fais partie du vaste orchestre de la vie. Tu as ton rôle spécifique à jouer, alors n'essaie pas de jouer celui de qui que ce soit d'autre. Cherche et trouve le tien et tiens-y toi! Lorsque tu apprendras à faire cela, tout ira très, très bien pour toi. Ce sont les âmes qui cherchent à jouer la note de quelqu'un d'autre qui se trouveront en disharmonie avec le tout. N'essaie jamais d'être comme qui que ce soit d'autre ou de faire ce qu'un autre fait. Je ne veux pas que vous soyez tous identiques, comme des pois dans une gousse. J'ai besoin de vous, tous différents, avec vos propres dons et qualités. Un orchestre fait d'instruments identiques serait très ennuyeux. Dans l'orchestre, Plus il y a d'instruments fondus ensemble en une harmonie parfaite, plus le son qui en sort est riche et merveilleux.

4 JUILLET

« Bénis soient ceux qui ont faim et soif de justice, car ils seront comblés! » Lorsque ton désir est assez fort, il sera comblé, car tu chercheras et chercheras encore la réponse et ne seras pas satisfait tant que tu ne l'auras pas trouvée. Tu auras la détermination, la patience, la persévérance et la persistence pour mettre tout en œuvre jusqu'à ce que tu aies trouvé ce que tu cherches au long de ce chemin spirituel: la réalisation de ton Unité avec Moi. Ne te décourage jamais et n'aie pas l'impression que tu cours après la lune, mais sache simplement qu'à la fin tu trouveras ce que tu cherches si tu ne faiblis pas en cours de route, ni n'abandonnes de désespoir. Cela vaut la peine de surmonter tout obstacle pour atteindre le but, alors sois déterminé à trouver la manière de le faire, et jamais, à aucun moment, ne ressens quelque chose comme insurmontable ou impossible. Sois fort et courageux. Continue encore et toujours. Tu y arriveras infailliblement!

5 JUILLET

Tes pensées sur l'abondance déterminent si tous tes besoins sont comblés ou non! Lorsque tu penses « manque » ou « pauvreté », lorsque tu laisses entrer dans ta conscience « peur », « inquiétude », « infériorité », « convoitise », « égoïsme » et « anxiété » et lorsque tu t'attardes sur ces états d'esprit négatifs, tu attires à toi le pire. Lorsque tu penses comme un pauvre, tu es pauvre, car tu te prives de toutes les bonnes choses de la vie, qui sont tiennes lorsque tu réajustes ta manière d'y penser et ton attitude envers elles.

Commence dès maintenant à penser prospérité. Imagine que tous tes besoins sont merveilleusement comblés. Refuse de te voir manquer de quoi que ce soit, car si tu manques de quelque chose, la restriction se trouve dans ta propre conscience. Pourquoi arrêter le flot de Mes ressources abondantes, sans limite, par ta conscience limitée, restrictive?

Quand tu commenceras à comprendre et à accepter d'où vient chaque chose, et lorsque tu pourras Me remercier pour tout, librement et joyeusement, Moi, le pourvoyeur de chaque don parfait et bon, tu ne manqueras de rien, d'absolument rien.

6 JUILLET

Mets ta foi et ta confiance entières en Moi, et sache que Je ne te ferai défaut ni ne t'abandonnerai jamais. Rien de ce que tu entreprends n'est impossible, car avec Moi tu peux faire toute chose. Vis par la foi. Je veux que de chaque situation tu voies sortir du bon, peu importe si la situation paraît étrange. Aie le désir que ta foi et ta confiance soient mises à l'épreuve encore et encore, car à quoi cela sert-il de parler de foi et de confiance si tu ne les mets pas à l'épreuve pour voir comment elles marchent pour toi? Es-tu prêt à te lancer dans la foi et la confiance complètes pour faire ce qui est impossible en apparence, non par bravade, mais parce que tu sais sans l'ombre d'un doute d'où cela vient? Tant que tu n'as pas éprouvé ta foi et ne l'as pas trouvé inébranlable, n'en parle pas. Puise ta force et ta capacité en Moi! Puisque JE SUIS avec toi, qui peut être contre toi?

7 JUILLET

Vous ne pouvez pas dire que vous M'aimez et détester vos compagnons humains, car l'amour et la haine sont comme l'huile et l'eau: ils ne se mélangent pas. Lorsque vous M'aimerez vraiment, vous aimerez vos compagnons humains. Vous vous aimerez les uns les autres. Vous aurez de la compassion et de la compréhension les uns envers les autres. Quand vous vous aimerez les uns les autres vous M'aimerez. C'est tellement entremêlé que ça ne peut pas être séparé. Quelle est la mesure de votre amour les uns envers les autres? Es-tu prêt à te déranger pour une autre âme? L'amour n'a pas à être exprimé en mots; on le voit et on le ressent dans les actes. Il irradie de toi. L'amour est le langage du silence. Il peut être compris et accepté sans qu'un mot ne soit dit. C'est un langage international, compris par le cœur, non par le mental. Peu importe ta nationalité, tu peux toujours transmettre l'amour et le communiquer dans le silence complet. Tes yeux, ton cœur, ton attitude, ton être entier peuvent transmettre ce que tu ressens envers une autre âme.

8 JUILLET

Commence la journée de la bonne façon, dans l'Unité avec Moi!

Alors rien ne pourra te déséquilibrer au cours de cette journée. Au début, lorsque tu commences à vivre cette vie spirituelle, tu dois faire un effort conscient pour t'harmoniser, mais au fur et à mesure que tu la vis de plus en plus et qu'elle devient partie de toi, elle ne demande plus d'effort, et tu vis d'une telle manière qu'elle est toi. Tu trouves une grande joie et une grande liberté. Tu n'as pas à passer la moitié de ton temps en prière à rechercher le pardon, à avoir peur de faire ce qu'il ne faut pas, ou inquiet au cas où tu serais sur le mauvais chemin et irais à contre-courant. Lorsque tu fais des erreurs, tu acceptes le pardon tout de suite et tu es déterminé à ne pas refaire les mêmes erreurs. Tu avances, jusqu'à ce que vivre de cette façon cesse de constituer un effort et devienne une vraie joie. Et tu sais ce que c'est de faire un avec Moi et d'être parfaitement en paix!

9 JUILLET

Pour te mettre en rythme avec la vie, tu dois apprendre l'art de la tranquillité, car plus tu deviens tranquille, plus tu peux refléter clairement les qualités de ton âme. Comme c'est facile d'accuser ton environnement, ta situation ou tes conditions de vie pour l'état dans lequel tu es. Il est grand temps de cesser de le faire et de reconnaître que tu n'as à t'en prendre qu'à toi.

Si tu cherches et trouves cette paix et cette tranquillité intérieures, rien ni personne d'extérieur ne pourra les troubler ou te dèséquilibrer. Regarde autour de toi; regarde la beauté et la perfection de la nature! Tout dans la nature est en rythme. Une loi et un ordre parfaits règnent dans Mon univers. Rien n'est désaccordé; il y a un temps et une raison pour tout. Cela existe pour que toutes les âmes les voient et y participent, alors accorde-toi avec eux! Coule avec eux, et sois une partie de cette loi et de cet ordre de Mon univers!

10 JUILLET

Il est d'importance vitale que tu aies l'attitude juste et positive envers ce jour et envers tout ce qu'il contient pour toi! Tu peux réussir ou gâcher la journée rien que par la façon dont tu t'en approches. Ta façon de réagir aux événements peut faire toute la différence. Lorsque tes réactions sont négatives et agressives, tu élèves immédiatement des barrières et crées l'opposition; tu trouves des fautes chez tous les autres et tu les accuses. Tu es si aveugle que tu ne vois pas que c'est toi qui es en cause, et tu te promènes tout imbu de toi-même.

Lorsque tes réactions sont positives et constructives, toutes les barrières s'effondrent et tu verras qu'ainsi tu obtiendras aide et coopération de tous côtés. Si tu as fais une erreur, admets-le, excuse-toi et avance. Ainsi il n'y a pas un temps précieux perdu à essayer de te justifier et à prouver que tu as raison. Tu as beaucoup de leçons à apprendre. Apprends-les rapidement et essaie de ne pas faire la même erreur deux fois!

11 JUILLET

Que signifie la vie pour toi? En jouis-tu complètement? T'attends-tu à ce qu'il en sorte le meilleur? Acceptes-tu qu'elle soit infinie, qu'elle n'ait ni commencement ni fin? Est-ce que savoir cela te fait vibrer et t'élève, ou bien en es-tu horrifié et déprimé?

Ton attitude envers la vie en ce moment est des plus importantes, car beaucoup de merveilles sont en train de se déployer, et il est nécessaire que tu ailles dans le sens de tout ce qui se passe et ne le combatte pas. C'est une époque de déploiement, non de difficulté ou de lutte; par conséquent sois tranquille, vois se déployer merveille sur merveille en une vraie perfection, et rends grâce éternellement. Rends grâce d'être vivant et de faire partie de ce qui est en train de se passer. Rends grâce pour les changements rapides, et change avec eux. Tout est pour le mieux; n'aie donc pas peur, mais avance joyeusement. Sens que tu es une partie de tout le processus de changement, de la globalité et de la nouveauté!

12 JUILLET

Tu es entouré de beauté. Ouvre les yeux, découvre-la, et remercie sans cesse pour cette beauté. Laisse la beauté te transformer et t'inspirer en ce qu'il y a de plus élevé et de meilleur en toi! Elle tire le meilleur de toi et t'unit avec le plus haut.

La beauté qui est en toi ne peux être contenue, alors laisse-la rayonner au-dehors. Emplis ton cœur et ton esprit de belles pensées, et reflète-Moi, car JE SUIS beauté! Cherche la beauté en tout, et lorsque tu regarderas assez profondément et assez longtemps, tu la verras. Elève-toi au-dessus des choses sordides et laides de la vie, car ainsi tu peux aider à les transformer et à les transmuer. La beauté est dans l'œil de celui qui regarde, donc tout au fond de toi. Avance en ce jour, déterminé à voir la beauté en tous et en tout, et tu la verras! L'amour et la beauté vont main dans la main, alors laisse Mon amour universel couler librement en toi et à travers toi, apportant unité et unification.

13 JUILLET

Beaucoup trop d'âmes perdent du temps et de l'énergie à accuser tout le monde pour ce qui ne va pas dans le monde, au lieu de reconnaître qu'elles peuvent y faire quelque chose quand elles commencent par elles-mêmes. Commence d'abord par mettre en ordre ta propre maison. Lorsqu'on jette une pierre dans un étang, les rides de l'eau vont s'élargissant. Mais elles partent de cette pierre; elles partent de ce centre.

Commence par toi-même; puis tu peux irradier paix, amour, harmonie et compréhension vers toutes les âmes autour de toi. Agis maintenant. Tu aspires à voir un monde meilleur; alors fais quelque chose dans ce sens, non pas en montrant les autres du doigt mais en regardant en toi, fouillant ton cœur, redressant ce qui ne va pas en toi et trouvant la réponse en toi. Alors tu peux avancer avec autorité et être d'une aide réelle pour tes voisins et pour toutes les âmes avec lesquelles tu entres en contact. Le changement commence par l'individu, puis se répand dans la communauté, la ville, la nation et le monde.

14 JUILLET

Tout doit croître et s'étendre. Tu ne voudrais pas rester toute ta vie un enfant, devant être nourri et habillé et que tout soit fait pour toi. Si tu observes un enfant, tu verras comme il veut changer et essayer des choses nouvelles. Il expérimente et apprend tout le temps grandissant et se déployant. Ceci est le processus naturel de croissance, de changement. Un enfant n'a pas à lutter pour le faire; cela vient tout à fait naturellement. C'est la même chose avec le Nouvel Age, qui est bien là maintenant avec toi. Tu n'as pas besoin de te battre et de lutter pour y entrer; tu n'as pas besoin d'avoir peur de l'inconnu; tu n'as pas besoin de t'inquiéter de la rapidité des changements et de l'expansion tout autour de toi. Réjouis-toi d'avance dans la joie et l'expectative réelles de ce qui attend de se déployer! Rien n'est trop grand, rien n'est trop merveilleux, rien n'est impossible. Vois Mes merveilles se déployer en une véritable perfection et rends grâce éternellement.

15 JUILLET

Tu peux aider à faire descendre Mon ciel sur la terre si tu te rends compte que JE te conduis et te montre le chemin. Tu trouveras toutes les directions au fond de toi, il est donc absolument impossible que tu sois dévié ou que tu prennes la mauvaise route. Recherche à l'intérieur et suis ces directions, et vois se produire merveille sur merveille.
Il ne peut jamais y avoir un moment ennuyeux lorsque JE te guide et te dirige. Recherche-Moi et trouve-Moi à tout moment. Tu n'as pas à regarder très loin; JE SUIS au centre même de toi, mais tu dois Me connaître consciemment. Si tu vis et vibres et as ton essence en Moi, tu crées le nouveau ciel et la nouvelle terre. Il n'y a pas d'effort dans la création. J'ai dit: « que la Lumière soit! », et la Lumière fut. Je dis: « contemple Mon nouveau ciel et Ma nouvelle terre! ». Donc contemple-les, rends grâce éternellement pour eux, et demeures-y maintenant dans l'amour parfait, la paix et l'harmonie parfaites!

16 JUILLET

Beaucoup d'âmes cherchent une réponse à tout le chaos et toute la confusion du monde à notre époque. Jour après jour il empire, mais n'aie pas peur, car les choses devront empirer avant de s'améliorer. Un abcès mûrit avant d'éclater, et puis tout le poison est libéré et nettoyé. Les choses doivent mûrir dans le monde avant que les poisons de la haine, de la convoitise, de la jalousie et de l'égoïsme soient libérés et que la guérison puisse se faire.

J'ai besoin de toi dans une paix intérieure parfaite. Tu la trouveras si tu laisses ton mental reposer en Moi et si tu peux élever ta conscience, ne voyant que le meilleur. Tu ne peux pas améliorer la situation dans laquelle se trouve le monde si tu acceptes de plonger dedans. Tu dois être immunisé contre la maladie ou, toi aussi, tu la contracteras, et alors tu ne seras d'aucune aide. J'ai besoin de ton aide. J'ai besoin de toi libre. J'ai besoin que tu sois parfaitement en paix. Alors Je peux t'utiliser.

17 JUILLET

Veille à ce que tout ce que tu fais Me soit consacré et soit bénéfique pour le tout! Lorsque tu vis pour le tout, tu t'oublies toi-même au service de tes compagnons humains, et lorsque tu les sers, tu Me sers. Tout est si étroitement entremêlé que tu ne peux pas séparer l'un de l'autre: Moi en toi et toi en Moi.

JE SUIS en tout et en tous; donc JE SUIS chez ton voisin, dans ton ami et ton ennemi de la même manière. Où que JE SOIS, il y a amour, car JE SUIS amour. Emplis ton cœur et ton esprit d'amour, car tout et tous répondent à l'amour, comme l'amour tire le meilleur de tout. Là où il y a amour, là est Mon Esprit, et là où se trouve Mon Esprit, là est la source de ta vie spirituelle. Recherche toujours ce qui est au fond de toi, et ne perds plus de temps à chercher la réponse à la vie au dehors!

18 JUILLET

Tu dois apprendre à te tenir sur tes propres jambes et à trouver ton propre chemin individuel pour fonctionner dans le plan global. Puise seulement en Moi la source de toute vie et de toute création; alors tu ne peux pas te tromper. Ne vacille jamais quand la route devient difficile, mais simplement, avance avec fermeté, sachant que c'est seulement un passage difficile que tu es en train de traverser. Plus vite tu le traverses, mieux c'est, avec aussi peu de résistance et de ressentiment que possible, apprenant des leçons importantes et nécessaires à chaque pas du chemin.

Tu dois apprendre à tenir bon, à être très patient, très constant, et à ne pas abandonner facilement. Maintiens la vision devant toi! Sache où tu vas et ce qui doit être accompli, et puis ne le lâche jamais jusqu'à ce que tu l'aies vu dans les faits. Tu ne peux pas avoir un cœur faible dans cette vie. Elle demande cette force et cette connaissance intérieures que rien ne peut ébranler ou déséquilibrer. Que ta force et ta sécurité reposent en Moi!

19 JUILLET

Ne te contente pas de parler du nouveau ciel et de la nouvelle terre; il dépend de toi de les attirer dans ta vie pour les rendre réels. Ne parle pas d'amour et d'aimer, vis-le afin que tous puissent en voir la signification. Les mots sans les actes n'ont pas de sens et sont inutiles. Ils sont comme de l'air chaud qui s'évapore en néant. Tu dois attirer Mon royaume sur la terre par la façon dont tu vis et dont tu te conduis, afin que ta vie soit un exemple, un exemple joyeux, que tous voudront suivre. Personne ne veut traverser la vie surchargé, manquant de joie et de spontanéité. Béni soit celui qui apporte la joie aux âmes qui sont alourdies et qui manquent d'étincelle de vie! Décharge-toi de tous tes fardeaux sur Moi, et apporte joie et liberté à toutes les âmes avec lesquelles tu entres en contact. Sois joie et inspiration, et reflète-Moi dans tout ce que tu fais, dis et penses. Sois parfaitement en paix alors que tu fais Ma volonté et suis Mon chemin en Me glorifiant.

20 JUILLET

N'attends que le meilleur, et attends-toi à ce que chaque besoin soit comblé, même le plus impossible en apparence. Ne te limite jamais, à aucun moment, ni ne ressens que tu ne devrais pas attendre trop. Vois tes besoins très clairement, exprime-les, et puis aie foi et confiance absolues: ils seront comblés. La façon dont cela se fera devra être laissée entre Mes mains.
Je dois travailler à travers des canaux pour accomplir cela, mais toute chose est possible avec Moi. Relâche-toi et vois se produire Mes merveilles et Mes gloires, rends grâce éternellement et utilise chaque chose pour le bien du tout à tout moment. Tu ne vis pas selon des lois humaines mais selon des lois divines; donc tout peut arriver à tout moment. Attends-toi à des miracles et vois-les se produire! Maintiens toujours devant toi la pensée de prospérité et d'abondance, et sache que faire cela rend opérantes des forces qui les concrétiseront. Plus tu es positif, plus tout cela se produira rapidement.

21 JUILLET

Pourquoi essayer de rechercher une « guidance » à travers quelqu'un d'autre? Pourquoi ne pas venir directement à Moi? Sais-tu que JE SUIS en toi? Sais-tu que JE SUIS là pour répondre à toutes tes questions, pour aider à résoudre tous tes problèmes, et pour guider et diriger chacun de tes pas, si seulement tu Me laissais faire? Je ne M'impose jamais à personne. Tu dois choisir de Me chercher et de Me trouver, et lorsque tu le fais, JE SUIS là prêt à prendre les rênes, à déverser l'amour en toi et à travers toi, prêt à te montrer le chemin. Une fois que tu as fait ton choix et M'as permis de tenir le gouvernail, tu peux te relâcher et simplement suivre Mes instructions pas à pas. Tu verras arriver Mes merveilles et Ma gloire, et tu verras miracle sur miracle se passer dans ta vie. Tu sauras que lorsque quelque chose est juste et a Ma pleine bénédiction, rien ni personne ne peut se mettre en travers du chemin, car cela arrivera au bon moment en une véritable perfection.

22 JUILLET

Tout ce que J'ai t'appartient. Pense à la merveille de ces mots, et puis laisse ta conscience s'élargir afin de pouvoir les accepter et connaitre leur vraie signification. Vois-les devenir réalité dans ta vie, et n'accepte plus jamais de limitations, car toutes Mes promesses se réaliseront; ce ne sont pas de vaines promesses. Simplement, tiens bon dans la foi, et jamais, à aucun moment ne laisse ta foi vaciller!
Tout vient aux âmes qui Me servent et mettent en Moi leur foi et leur confiance entières. Vois se déployer devant toi merveille sur merveille. Reconnais la merveille dans les petites choses de la vie, aussi bien que dans les grandes. Ouvre les yeux afin de ne rien manquer; ouvre ton cœur et fais couler sans cesse l'amour! L'amour attire l'amour. Toute âme aspire à être aimée, alors pourquoi ne pas donner de l'amour? Tu recevras autant que tu donnes. Mais apprends à donner librement, gratuitement, et jouis de la vie complètement!

23 JUILLET

Réveille-toi et vis! Vis cette vie pleine et radieuse qui est ton vrai héritage. N'aie peur de rien. Tu as en toi toute sagesse, tout pouvoir, toute force et tout entendement. Arrache ces mauvaises herbes du doute, de la peur et de l'incertitude afin qu'elles ne puissent pas étouffer le beau jardin au fond de toi, et que tout le meilleur puisse croître dans une liberté et une perfection véritables. Libère ce qui est à l'intérieur afin que cela se reflète à l'extérieur; tu ne peux le cacher, quels que soient tes efforts dans ce sens. S'il y a chaos et confusion en toi, ils se reflèteront dans le monde extérieur: par ce à quoi tu ressembles, par tes comportements, par les choses que tu fais et par ce que tu as autour de toi. Tu ne peux cacher ce qui est en toi même si tu t'y efforces!
Lorsque tes pensées émanent du plus haut, la beauté et la perfection se reflètent à l'extérieur. Tu es comme un miroir auquel on donne un poli brillant: rien ne peut rester caché!

24 JUILLET

Traverse la vie avec un profond sentiment de paix, et tu seras ébahi de tout ce que tu peux arriver à faire. Tu peux faire beaucoup plus de choses dans la tranquillité et la confiance que dans un état d'esprit troublé. Lorsque tu es incapable de te concentrer sur ce que tu fais, cela veut dire que tu le fais sans enthousiasme, et donc pas au mieux de tes capacités. Tu vois combien il est important d'avoir la bonne attitude envers tout ce que tu fais, afin de pouvoir jouir pleinement de la vie. Je veux que tu jouisses de la vie et que tu trouves le meilleur en elle. Tu verras que lorsque tu sais où tu vas et ce que tu fais, tu ne perds pas de temps à être indécis, mais tu peux aller directement et le faire. Prends du temps pour découvrir directement de Moi ce qui t'est demandé. Tu ne peux le faire que dans la paix et la tranquillité, alors trouve du temps pour cela. C'est une clé très importante.

25 JUILLET

Voici le temps de construire, de créer de l'unité et de l'harmonie, de la paix et de l'amour, de la globalité et de l'Unification. Maintiens tout le temps dans ta conscience ces pensées positives, constructives, créatives et ne les laisse jamais s'en aller. Vois-les vivre et vibrer, et avoir leur essence en toi, et contemple la vision du nouveau ciel et de la nouvelle terre qui prennent forme et substance. Laisse-la se déployer au-dedans de toi. Si tu t'harmonises avec l'idée du Nouvel Age et avec sa véritable signification, il commencera à se déployer graduellement en toi; tu découvriras que tu en fais partie et qu'il fait partie de toi.

C'est une chose magnifique, comme un géant endormi attendant de se réveiller; lorsqu'il commencera à s'animer, rien ne pourra arrêter son expression. Il n'y a rien contre quoi se battre; il n'y a pas de raison de lutter encore. Apprends simplement à Me servir, et laisse Mon plan parfait se déployer!

26 JUILLET

JE SUIS en toi! JE ne SUIS pas plus dans une âme que dans une autre; c'est simplement une affaire de conscience. Certaines âmes sont plus conscientes de la divinité en elles que d'autres et peuvent puiser à cette source et en vivre. Elles donnent donc l'impression de vivre et de démontrer quelque chose de surnaturel. Il n'y là rien de surnaturel; c'est simplement vivre selon Mes lois, en utilisant le pouvoir qui est en chacun comme il devrait être utilisé. L'air est là pour être respiré, mais il dépend de toi de l'inspirer. L'électricité est là pour être utilisée, mais elle doit être installée, puis utilisée. Autrement l'électricité est bien là mais elle ne démontre pas son pouvoir qui attend d'être libéré. Il en est de même avec le pouvoir spirituel en toi. Il est là pour que tu l'utilises, mais à moins de te « brancher » et d'allumer ce pouvoir, il n'agit pas.

27 JUILLET

Lorsque tu refuses d'apprendre une leçon d'une façon, elle te sera présentée d'une autre façon. Il existe toujours la manière facile, mais si tu refuses de l'accepter, il te sera présenté une manière plus difficile et plus compliquée. Pourquoi ne pas apprendre tes leçons de la manière facile? Pourquoi ne pas être comme un petit enfant, avide et réceptif à tout se qui se passe dans ta vie, et ne pas te déployer avec toute chose de la plus naturelle des façons?
Ceci est Mon plan pour toi, alors pourquoi te rendre la vie difficile quand ce n'est pas nécessaire? Cela ne fait que retarder tes progrès. Tu verras que, si tu apprends à Me mettre au premier plan, tout se met parfaitement en place. Quand, dans la vie, tu pourras élever ta conscience et la garder élevée à un niveau spirituel, tournée vers ce qui importe, alors de vastes changements se produiront et la vie se déroulera pour toi sans aucun effort. La vie est très simple. Pourquoi la rendre compliquée?

28 JUILLET

Prie sans cesse! Que ta vie soit une constante prière d'amour et d'action de grâce. La vie est infiniment bonne, mais souviens-toi toujours qu'elle est ce que tu en fais. Donc, si tu es négatif, tu attires à toi la négativité, et un nuage noir vient recouvrir ta vie, te séparant de ce bien le plus grand. Si tu es constamment positif, si tu vois le bon en tout et en tous, il y a du ciel bleu et du soleil tout autour de toi et en toi. Emplis ta vie d'amour, de foi, d'espoir et de plénitude. Apprends à aimer la vie, car lorsque tu le fais, ta vie est une prière constante et tu pries, en vérité, sans cesse. La prière est ta communion intérieure avec Moi, quand nous marchons et parlons ensemble comme nous le faisions au commencement. La prière est la nourriture de l'Esprit, le nourricier de l'âme. C'est un profond besoin intérieur en chaque âme. Ressens ce besoin intérieur et réponds-y!

29 JUILLET

Lorsque Je te dis que Mon plan magnifique se déploiera pas à pas, il se peut que tu entendes lentement. Mon bien-aimé, rien n'arrivera lentement désormais. Tout s'accélère. Néammoins, ce sera un déploiement parce que tout se produira parfaitement à temps. Accepte et n'essaie pas d'arrêter la mise en place de quoi que ce soit parce que tu as peur de la vitesse avec laquelle cela vient. Mon organisation est parfaite. Pourquoi ne pas l'accepter? Qu'il n'y ait pas de résistance en toi, mais trouve liberté et joie parfaites alors que le plan se déploie. C'est un plan vraiment merveilleux, et tu en fais partie. Tu as ton propre rôle à y jouer; c'est pourquoi il est important que tu découvres ton rôle, et tout de suite. Ne dérive pas un jour de plus sans le trouver. Lorsque tu prends du temps pour être tranquille, dans le silence, tu sauras ce qu'est ton rôle spécifique.

30 JUILLET

Rends grâce constamment pour tout. Il y a beaucoup de choses pour lesquelles être reconnaissant; ouvre les yeux, regarde alentour, et vois comme tu es béni! Si tu le fais, tu te trouveras empli d'une débordante sensation de gratitude, et toute la vie prendra une signification nouvelle. Les gens autour de toi signifieront plus pour toi parce que ton cœur sera rempli d'amour pour eux, et parce que tu auras une compréhension et une tolérance plus profondes envers eux. Tu te trouveras rempli de reconnaissance pour eux, pour leur amour et pour leur camaraderie, pour le fait d'être simplement eux-mêmes. Tes yeux s'ouvriront à toute la beauté et à toute l'harmonie autour de toi, aux merveilles de la nature. Tu verras avec des yeux qui voient vraiment; tu entendras avec des oreilles qui entendent vraiment; et tu parleras avec des mots d'amour et de compréhension. La vie sera bonne pour toi, parce que tu ne prendras rien comme un dû, mais tu apprécieras tout et pourras voir Ma main en toute chose.

31 JUILLET

Tes pensées positives, créatives, aimantes, contiennent un énorme pouvoir, bien plus grand que tu ne le penses, car les pensées sont du pouvoir. Bannis donc toute pensée négative. Regarde toujours le bon côté de la vie, car plus tu irradies de joie et d'amour, plus tu attireras à toi de joie et d'amour. Aime toutes les âmes autour de toi, car tu verras que tout le monde répond à l'amour à la fin. Les enfants et les animaux répondent immédiatement parce qu'ils n'ont pas de barrières à franchir. Ils sentent ce flot d'amour instinctivement, car ils ne soupçonnent pas d'arrière-pensées et de mauvaises intentions, mais acceptent et répondent simplement à l'amour et le rendent joyeusement; tandis que très souvent les adultes sont soupçonneux et font des procès d'intention. Ne laisse jamais cela te fermer le cœur à qui que ce soit. Lorsque tes intentions sont pures et authentiques, laisse l'amour couler avec toute sa force jusqu'à ce que toutes les barrières aient été démolies. L'amour est la clé de la vie. Tu détiens cette clé en toi.

AOUT

Un champ de maïs mûr prêt à être récolté
me fut montré.
J'entendis les mots:

Il y a un bon moment
et une bonne saison pour tout.
Ne remets jamais à demain ce que tu sais
avoir à faire maintenant,
mais coule avec le rythme de toute vie
et sois parfaitement en paix.

1er AOUT

Accorde-toi à Moi dans la paix et le silence. Comment peux-tu compter entendre Ma petite voix tranquille si tu es agité à l'intérieur et trop occupé pour prendre du temps pour écouter? Si tu apprends à être tranquille, tu pourras le faire, peu importe ce que tu es en train de faire ni où tu es. Tu pourras t'envelopper de ton manteau de paix et de tranquillité et trouver ce centre de paix que rien ne peut troubler. Là, tu Me trouveras en ton cœur même. Tu accèderas à la réalisation de ton Unité avec Moi, la source de toute création. Dans cet état de paix et d'Unité tu seras pleinement maître de chaque situation, et tu sauras exactement quoi faire et comment le faire.

C'est une chose que chacun peut faire s'il le veut; ce n'est pas réservé seulement à quelques uns. Pourquoi ne pas être tranquille maintenant et parfaitement en paix?

2 AOUT

Apprends à agir spontanément, par intuition, et à faire ce que ton cœur te suggère, pas seulement ce que ton mental te dit être raisonnable ou judicieux! Certains actes de pur amour peuvent paraître déraisonnables, fous même, aux yeux des autres, mais cela n'a pas d'importance. Lorsque tu es poussé à agir, fais-le et ne t'arrête pas pour y réfléchir ou te demander pourquoi tu le fais. Ce petit acte d'amour peut aller très loin. Son effet peut même ne pas se révéler au début. Ne perds pas de temps à chercher des résultats; fais simplement ce que tu sais devoir faire et laisse-Moi le reste.

Cela peut prendre longtemps pour que cette graine d'amour germe dans un cœur dur, froid, mais une fois qu'elle a été plantée, tôt ou tard elle se montrera. Tout ce que tu as à faire est de tenir ton rôle dans la foi, et de savoir que tout est très, très bien.

3 AOUT

Quand une porte se ferme, une autre s'ouvre. Attends-toi à ce que cette nouvelle porte révèle des merveilles, des splendeurs et des surprises encore plus grandes! Attends-toi toujours à ce que chaque situation produise le meilleur, et vois le meilleur sortir de chacune d'elles. Ne sois jamais déprimé ou découragé lorsque tu vois une porte se fermer devant toi. Sache simplement que toutes choses travaillent ensemble pour le bien des âmes qui M'aiment vraiment et Me mettent au premier plan. Sens-toi grandir et t'étendre alors que tu traverses chaque expérience, et que tu en cherches la raison. Apprends par elle, et sois déterminé à ne jamais faire la même erreur deux fois. Si tu as fait ce qui semble être une erreur, si tu ne la laisses pas t'abattre, beaucoup peut en sortir. Toute ton attitude envers la vie est très importante; par conséquent rends-toi compte que la vie est ce que tu en fais. Fais-en une vie merveilleuse, joyeuse, passionnante où n'importe quoi peut arriver à tout moment parce que tu fais Ma volonté!

4 AOUT

Pourquoi ne pas commencer chaque jour en t'accordant avec le bien le plus élevé en toi? Ensuite emporte-le dans tout ce que tu fais tout au long du jour. Laisse la paix et l'amour couler librement en toi et à travers toi, vers tous ceux que tu côtoies. Vois Ma globalité et Ma perfection chez tous tes semblables et attardes-y toi. Lorsque tu pourras faire cela, toutes leurs imperfections seront éliminées, et tu les contempleras dans la lumière de la perfection; car tu verras avec Mes yeux, et Je ne vois que la perfection en tout et en tous. Reflète-Moi. Fais un avec Moi! Que ta conscience soit de globalité et d'Unité! Sache que Je travaille en toi et à travers toi et que Je guide et dirige chacune de tes pensées et de tes actions; alors que l'harmonie, la beauté, la loi et l'ordre entrent dans ta vie, le chaos et la confusion s'envolent par la fenêtre. Tant que tu demeureras dans cet état de conscience, tout sera pour le mieux.

5 AOUT

Maintiens élevées tes exigences; plus elles sont élevées, mieux c'est. Ne sois pas négligent ni expéditif dans ce que tu entreprends. Il faut que la perfection soit toujours le but. Elle peut sembler impossible à atteindre, mais néammoins continue à tendre vers elle, continue à t'étirer.
Ne te satisfais jamais de quelque chose de médiocre, ou fait sans conviction et sans amour. Que tout ce que tu fais — quoi que ce soit — soit fait pour Mon honneur et pour Ma gloire, car, lorsque ton but sera de faire tout pour Moi, ton but sera toujours du plus élevé, et tu ne seras pas satisfait à moins de donner de ce qu'il y a de meilleur en toi. Apprends à t'oublier au service des autres. Tu trouveras une vraie joie à donner à tous les niveaux. Souviens-toi toujours qu'il y a beaucoup de niveaux différents sur lesquels tu peux donner, du plus haut au plus bas, du spirituel au physique. A quelque niveau que cela puisse être, donne et donne de tout ton cœur, et tu t'apercevras que ce que tu donnes te sera rendu de même.

6 AOUT

Sois tranquille et réceptif à la vie. Le plus tranquille et le plus réceptif possible, car c'est dans le calme que tu peux entendre Ma petite voix tranquille. C'est dans le calme que tu deviens conscient de Mes merveilles tout autour de toi. Tu deviens très sensible aux choses importantes de la vie, et dans cet état de sensibilité, les portes peuvent être grandes ouvertes et tout peut arriver. Tu dois chercher et trouver des moments de paix et de tranquillité, peu importe que tu sois une personne occupée. Cela n'a pas besoin de durer longtemps.

Tu verras que ces quelques moments en communion silencieuse avec Moi feront merveille dans tout ce que tu fais. Au lieu de te jeter étourdiment dans un projet, ou de faire une chose par devoir, ton attitude envers tout ce que tu entreprends sera une attitude de bénédiction, de louange et de grâce. Parce que ton attitude et ton approche sont justes, seul le meilleur peut en sortir et apporter des bénédictions à toutes les âmes qu'elles touchent.

7 AOUT

Marche dans la lumière et n'aie jamais peur de laisser la lumière de la vérité t'éclairer en plein! Lorsque tu n'as rien à cacher, rien de quoi avoir honte, tu es aussi libre qu'un tout petit enfant qui n'a aucune inhibition et s'exprime avec une joie authentique. Il déborde de joie et cette joie est contagieuse, rayonnant vers tout ceux qui entrent en contact avec lui. La joie ne peut être cachée ou contenue. Elle se révèle de mille et une façons: dans un regard, un mot, une expression. La joie attire les gens à elle, car tout le monde répond aux âmes joyeuses, heureuses et aiment être en leur compagnie.

La joie attire les âmes à elle comme l'aimant attire l'acier, tandis que la tristesse et la négativité repoussent. Lorsque tu sais que tu fais la chose juste et que tu es à la place juste, tu rayonnes de joie et de liberté. Tout coule harmonieusement pour toi et tombe à sa juste place. Tu attires le meilleur à toi; tu ne peux pas t'empêcher de le faire, car qui se ressemble s'assemble.

8 AOUT

Si tu apprends à faire Ma volonté et à suivre Mon chemin, tu commenceras à savoir ce que paix et harmonie intérieures veulent dire. Ton cœur débordera d'amour, ta compréhension s'étendra, tu deviendras plus tolérant et plus ouvert, et tu verras clairement que beaucoup de chemins mènent à Moi. Tu apprendras à vivre et à laisser vivre, et tu cesseras de ressentir que ton chemin est le seul chemin. Tu ne seras plus jamais dogmatique à propos de quoi que ce soit mais, très tranquillement et avec confiance, tu iras ton chemin en faisant ce que tu sens être juste pour toi. Tu n'essaieras plus de changer les autres âmes, mais tu apprendras à vivre de telle manière que les autres voudront savoir ce que tu as qu'ils n'ont pas. N'oublie jamais, tu peux enseigner autrement mieux par l'exemple! Si tu t'occupes tranquillement de faire Ma volonté, cela aura un bien plus grand effet sur l'humanité que de clamer de merveilleuses paroles du haut des toits alors que tu oublies de vivre ce que tu prêches.

9 AOUT

Choisis toujours le regard optimiste sur toute chose, et bannis toute morosité et toute négativité. Beaucoup de gens merveilleux, de choses et d'expériences merveilleuses t'entourent dans la vie. Pourquoi ne pas te concentrer sur cela et en rendre grâce, et relâcher et libérer tout ce qui est désagréable, malheureux ou difficile? Par ton attitude et ton regard, tu attires le meilleur ou le pire de la vie. Donc, si tu accuses les circontances, la vie ou les autres pour tes malheurs, regarde en toi pour voir ce que tu peux faire pour changer ton attitude. Si tu commences à faire cela, petit à petit tu verras des changements survenir, et tu commenceras à te rendre compte à quel point tu es puissamment béni et comme la vie est merveilleuse. Quelle joie et quel privilège d'être vivant, d'être où tu es, de faire ce que tu fais, entouré de si nombreuses choses et personnes merveilleuses. Commence dès maintenant à les rechercher. Elles sont juste là, alors tu n'auras pas à chercher très loin.

10 AOUT

Veux-tu faire quelque chose pour améliorer la situation du monde? Alors regarde en toi, car n'oublie jamais que tout commence en soi. Si tu changes ta conscience en amour, paix, harmonie et Unité, la conscience du monde entier changera. Mais ce n'est pas toujours agréable les premiers temps. Tu trouveras en toi des coins sombres qui ont besoin d'être nettoyés. Tu verras que tes motifs n'émanent pas toujours du plus haut et que tes goûts et dégoûts sont bien plus prononcés que tu ne l'imagines. Tu verras que tu es très enclin à établir des distinctions quand il ne devrait y en avoir aucune, car tous sont un à Mes yeux. Tu verras que ton amour pour les autres n'est pas ce qu'il devrait être.

Commence à mettre les cartes sur table, et sois déterminé à faire quelque chose, et commence à le faire maintenant. Il n'y a pas de meilleur moment. JE SUIS là pour t'aider. Invoque-Moi et laisse-Moi guider chacun de tes pas!

11 AOUT

Es-tu en harmonie avec toute vie? Sens-tu que tu fais un avec toutes les âmes autour de toi? te sens-tu en paix? Fais-tu partie du chaos et de la confusion où se débat le monde en ce moment, ou est-ce-que ta vie est une partie de la réponse aux problèmes du monde? On ne peut être assis entre deux chaises en ce moment. Soit tu travailles pour la lumière, soit tu ne le fais pas; le choix est entre tes mains. Tu es soit avec Moi, soit contre Moi.
Ta foi et ta croyance ne peuvent être tièdes ou sans conviction. Elles doivent être convaincues ou ne pas être du tout. J'ai besoin que tu sois en feu, embrasé d'amour pour Moi, complètement consacré à Moi et à Mon travail, prêt à faire Ma volonté, et peu importe le prix. Je demande tout, et ce n'est que lorsque tout sera donné que tu recevras tout. Rien ne te sera refusé, et tu sauras que tout ce que J'ai t'appartient.

12 AOUT

Tu ne peux faire tout ce que tu devrais quand tu es tendu. Prends du temps pour être seul, et fais quelque chose de simple, quelque chose que tu prends plaisir à faire; mais que ce soit une chose que tu choisis toi-même et non pas suggéré par quelqu'un d'autre. Tout en le faisant, tu verras que tu peux regarder toute chose à partir d'un niveau de conscience différent. Le poids sera enlevé, et tu verras que tu pourras accomplir bien plus. Aussi n'essaie jamais de regarder trop loin devant toi; cette attitude peut causer grande tension et grande détresse. Tu ne peux faire qu'un pas à la fois, alors fais-le, et le suivant suivra juste au bon moment. Laisse la vie se déployer, et n'essaie pas de la manipuler. Ne sois pas agacé ou impatient lorsque les choses ne marchent pas exactement comme tu l'avais escompté. Cherche et vois plutôt le dessein et le plan qui sous-tendent tout ce qui a lieu, et rends-toi compte que tout est pour le mieux.

13 AOUT

Apprends à penser aux autres, à partager avec eux, à leur faire ce que tu voudrais qu'ils te fassent. Apprends à comprendre, et entre pleinement dans leur vie et dans leur cœur, déversant sur eux amour et compréhension, et bannissant ainsi toute critique, tout jugement et toute condamnation. Comprends que l'amour transforme et transmute toute amertume et toute haine et que la compréhension ouvre les cœurs qui ont été fermés et sont restés froids et insensibles. Dans ta vie, mets en pratique ces mots: « Ne résiste pas au mal mais triomphe du mal par le bien ». C'est plus facile à dire qu'à faire, mais tant que ce n'est pas fait et vécu, il ne peut y avoir de paix et de bonne volonté pour toute l'humanité.

Ces mots ont été entendus, lus et prêchés de tous temps, mais ils n'ont pas été vécus; c'est pourquoi existent dans le monde les guerres, la destruction, le mal et la haine. Cela continuera jusqu'à ce que l'humanité apprenne à vivre une vraie vie et ne se contente pas d'en parler, apprenne à faire vivre et vibrer ces paroles merveilleuses dans la vie de tous les jours.

14 AOUT

Comme tu contribues au tout avec tes dons et tes talents spécifiques, ainsi fait chaque pièce du puzzle de la vie qui, assemblée, forme le tout parfait. Quels sont tes dons ou tes talents spécifiques? Pourquoi ne pas les partager et cesser de les cacher, car tous sont nécessaires? Tu peux sentir que tu as beaucoup de dons ou bien que tu as peu ou rien à donner. Cette dernière éventualité n'existe pas. Tu as quelque chose d'unique à donner, que personne d'autre ne peut donner, et ce quelque chose est nécessaire; cela ne tient qu'à toi de découvrir ce que c'est et de le donner. Il en faut de toutes sortes pour faire le tout. Chaque vis, chaque pièce et ressort minuscule est nécessaire pour fabriquer une horloge.
Chaque organe du corps, chaque minuscule cellule et chaque atome est nécessaire pour composer le corps entièrement parfait. Lorsque tu pourras te voir comme faisant partie du tout, tu ne voudras plus retenir ce que tu as à donner.

15 AOUT

Si tu trouves difficile d'aimer tes semblables, n'essaie pas de t'y forcer, car tu ne peux pas te forcer à aimer quelqu'un. Mais si tu Me cherches Moi et Mon aide, Je placerai cette graine d'amour dans ton cœur. Ensuite, tout ce que tu as à faire est de la soigner très doucement et très tendrement et la regarder grandir sans que tu aies d'effort à fournir. Essayer, par la volonté, de te forcer à aimer quelqu'un est une bataille perdue d'avance.

Tu verras: qui se ressemble s'assemble, tu t'apercevras que tu seras tout naturellemnt poussé vers certaines personnes plus que vers d'autres, et que vous pourrez vous fondre plus facilement les unes avec les autres; mais que cela ne t'inquiète pas. Progressivement tu découvriras ce que l'amour universel veut dire alors que tu grandis spirituellement et viens à connaître ce que Mon amour divin veut dire. Laisse-le se déployer naturellement sans aucun effort de ta part, mais avec seulement un profond désir intérieur d'aimer plus.

16 AOUT

Ton attitude a une importance vitale, elle est bien plus importante que tu ne le crois. Par conséquent, si tu ne peux faire une chose avec l'attitude juste, ne la fais pas du tout jusqu'à ce que tu puisses changer d'attitude. Prends vraiment plaisir à la faire et rends-toi compte que, quelle qu'elle soit, elle est importante pour la bonne marche du tout. N'aie jamais peur d'endosser des responsabilités, mais grandis en sagesse et en stature en le faisant. Sache qu'il ne t'est jamais donné plus que ce que tu es capable de supporter.

C'est important que chaque responsabilité t'aide à t'étendre et à t'élargir un petit peu plus. L'objectif des responsabilités n'est pas de t'alourdir ni de te surcharger, mais de t'aider à grandir. Ne t'irrite pas des responsabilités qui te sont données, mais sois-en reconnaissant. Sache qu'elles ne te seraient pas données si Je ne sentais pas que tu étais capable de les assumer. Recherche Mon aide à tout moment. JE SUIS ton aide et ton guide toujours prêt. Invoque-Moi!

17 AOUT

Apprends à être très souple et accommodant. En même temps travaille toujours à partir d'une connaissance intérieure stable, afin de ne pas être influencé ni dépendant des circonstances et conditions extérieures. Rends-toi compte que ta vie et ta façon de vivre extérieures sont un reflet de ta vie intérieure.

Si tu es en paix à l'intérieur, tu irradies la paix vers l'extérieur, car si ton cœur déborde d'amour, tu ne peux faire autrement qu'irradier cet amour tout autour de toi. Tu ne peux cacher ce qui est au fond de toi, car ton état extérieur est un miroir de ton état intérieur. Le temps que tu passes dans la paix et la tranquillité n'est jamais perdu. Il est nécessaire pour toute âme de trouver du temps pour être tranquille et pour réfléchir sur ce qui est profond en soi, sur les choses qui importent dans la vie, qui font de la vie ce qu'elle est: les voies de l'Esprit. Peu importe que ta journée soit chargée. Ces moments de tranquillité sont essentiels et constituent la colonne vertébrale même de ta vie.

18 AOUT

Ne sois pas accablé d'inquiétude pour toi-même, au point de manquer toutes les merveilles de la vie. Vis des beautés et des merveilles de la vie. Promène-toi les yeux grands ouverts et apprécie la beauté autour de toi. Vis un jour à la fois et apprécie-le pleinement. Que chaque instant soit rempli d'amour et de gratitude.

Lorsqu'un événement disharmonieux se produit, sans attendre, regarde autour et vois comment cela pourrait être transformé en quelque chose d'harmonieux. Fais-le vite parce que les pensées négatives et nuisibles peuvent pousser aussi vite que des mauvaises herbes dans un jardin et étouffer toutes les belles plantes délicates si on leur laisse prendre le contrôle. Apprends à contrôler tes pensées afin qu'elles ne soient que des pensées de beauté, d'harmonie et d'amour. Une fois tes pensées positives bien établies, tu rechercheras automatiquement le meilleur dans chaque situation. Seulement alors peux-tu te détendre, te laisser aller et entrer dans la joie et la liberté de l'Esprit!

19 AOUT

Pourquoi ne pas commencer dès maintenant à recevoir ton inspiration et ta conduite spirituelles de première main et non à travers qui que ce soit d'autre? Ne vois-tu pas que tu as en toi toute sagesse, tout savoir, toute compréhension? Tu n'as pas à les rechercher à l'extérieur; cela veut dire que tu dois prendre du temps pour être tranquille et pour aller tout au fond de toi pour les trouver. Il n'y a rien de plus merveilleux ou qui vaille plus la peine que le contact direct avec Moi, source de toute création. Cela veut dire que tu dois prendre du temps, et si nécessaire, en inventer, pour trouver ce contact. Tu dois atteindre le stade où tu as pleine conscience de Moi et de Ma divine présence à tout moment, le stade où tu as le désir de M'emmener dans la totalité de ta vie, et de marcher et parler avec Moi tout le temps, partageant tout avec Moi, aussi bien tes réussites que tes échecs. Quand l'amour coulera et que tu feras un avec Moi, plus que tout, tu voudras partager toute chose avec Moi.

20 AOUT

Toute âme doit apprendre l'auto-discipline, et plus tôt celle-ci est apprise, plus c'est facile. Au début cette discipline peut demander un réel effort parce que tu dois te forcer à faire des choses contre lesquelles le « petit » moi se révolte. Tu dois apprendre à te dire « non » à toi-même, mais plus tu es ferme avec toi-même, plus vite la paix règnera à l'intérieur. Il est bon, de temps en temps, de te prendre en main et de voir comment tu es faible et complaisant envers toi-même.

Cela veut dire qu'il te faut être très honnête et ne pas te trouver des excuses. Cela peut t'aider de mettre par écrit les points où tu sens que tu as besoin de changer, de façon à les avoir devant les yeux. Puis fais-y quelque chose. Si tu te sens incapable de triompher de certaines faiblesses, Je ne te demande pas de le faire seul. JE SUIS toujours là pour t'aider. Pourquoi ne pas M'invoquer?

21 AOUT

Tout le monde a eu l'expérience d'avoir été complètement déséquilibré par quelque chose que quelqu'un a dit ou fait. Au lieu d'y avoir fait face tout de suite, il se peut que tu l'aies laissé avoir prise sur toi et affecter toute ta façon de voir, jusqu'à te trouver tout noué et plus bon à rien. Il se peut même que tu aies commencé la journée avec les meilleures intentions, l'amour au cœur pour tout le monde, déterminé à voir le meilleur partout. La prochaine fois qu'un déséquilibre se produit, observe ce qui arrive et élève immédiatement ta conscience. Invoque-Moi! Que ton mental demeure en Moi afin que tu aies pleine conscience de Moi et de Ma divine présence. Vois quelle différence cela fera pour toi.

Si tu peux rapidement tourner tes pensées vers Moi et vers Mon amour divin quand tu te trouves dans une situation négative, tout peut complètement changer. Souviens-toi de cette idée la prochaine fois. Essaie et vois comme cela marche!

22 AOUT

Peu importe où tu es ou ce que tu fais; JE SUIS avec toi, toujours. Mais si tu n'en as pas vraiment conscience, tu peux traverser la vie comme un aveugle, inconscient des merveilles et des beautés qui t'environnent, tâtonnant pour trouver ton chemin dans l'obscurité. Quand tu es conscient, tu as des yeux pour voir et des oreilles pour entendre. Toutes les petites choses de la vie ont un sens nouveau et plus profond. Tu ne prends rien comme allant de soi, mais tu distingues un plan et une intention sous-jacents dans tout ce qui se passe dans ta vie. Tu trouves une joie et une élévation véritables dans tout ce qui t'arrive. Tu vois avec les yeux de l'Esprit. Tu comprends les choses importantes de la vie, et celle-ci est pleine à déborder de joie et de bonheur. Tu commences à te rendre compte que rien, dans tout ce qui se passe, n'arrive par hasard. Tu reconnaîs Ma main en toute chose, et ton cœur est rempli d'amour et de gratitude.

23 AOUT

Laisse le pouvoir de l'Esprit couler en toi et à travers toi. Ouvre-toi à ce pouvoir infini, et rends-toi compte que son vrai secret réside dans le fait de rester en contact étroit avec Moi, de puiser à la source infinie, éternelle. Il est toujours là afin qu'y puisent toutes les âmes qui sont prêtes à l'utiliser de la bonne manière pour le bénéfice du tout. Tu dois être prêt; tu dois demander avant de pouvoir recevoir. Cela ne te sera pas imposé avant que tu ne sois préparé. Peux-tu croire qu'avec Moi tout est possible? Acceptes-tu cela comme un fait, ou laisses-tu encore les doutes et les peurs gâcher la perfection de ta vie? Il y a un rythme parfait dans toute vie, et lorsque tu t'y accordes, tu coules avec elle sans aucun effort, et tu y trouves joie et élévation. Alors pourquoi ne pas te mettre au diapason, t'accorder et jouir complètement de la vie?

24 AOUT

Sonde ton cœur. Y a-t-il en toi une source de désunion et de division? Y a-t-il quelque malentendu, jalousie, envie, ou quoi que ce soit de négatif qui puisse te freiner?
Tu devras te regarder loyalement et franchement en face et être honnête. Tu sauras sans l'ombre d'un doute si tu es en fait ce grain de sable qui retarde la parfaite réalisation de Mon plan. Si tu te sens mal à l'aise et te surprends en train de te donner des excuses et d'essayer de justifier tes actes et tes pensées, tu peux être sûr que quelque chose au fond de toi a besoin dêtre changé. Si tu le reconnais, ne le laisse pas t'accabler, mais commence sur le champ à changer toute ton attitude et ta façon de voir. JE SUIS toujours là pour t'aider. Invoque-Moi, et Je t'aiderai à triompher de tout ce qui semble te barrer le chemin, t'empêcher de sentir que tu fais un avec le tout.

25 AOUT

N'aie jamais l'impression, à aucun moment, que tu n'as rien à donner. Tu as énormément à donner, et tu verras que moins tu y penses mieux cela marchera. Plus tu penses aux autres et vis pour eux, plus tu peux t'oublier complètement au service des autres, sans une pensée pour ce que tu peux en retirer, et plus tu seras heureux. Ne donne jamais d'une main en retirant de l'autre!

Lorsque tu donnes quelque chose, quoi que ce soit, donne-le gratuitement, afin que l'on puisse l'utiliser complètement librement. Lorsque tu donnes, que ce soit donné avec abondance, librement et de tout cœur, et puis oublie-le. Ce principe s'applique aux dons à tous les niveaux, matériels ou spirituels, tangibles ou intangibles. Sois toujours généreux lorsque tu donnes, et ne crains jamais de souffrir du manque, car si c'est le cas, tu ne donnes pas vraiment. En donnant vraiment tu ne manqueras de rien.

26 AOUT

Tu as un énorme travail à faire. C'est le travail silencieux de créer plus d'amour dans le monde. C'est comme le levain dans la pâte qui fait son travail tranquillement et sans aucun bruit, et pourtant sans lui le pain serait un bloc compact. Donc, aime les âmes avec qui tu es, aime ce que tu fais, ton environnement, et aime les âmes qui semblent être tes ennemies. Il y a beaucoup plus de grâce à aimer les âmes qu'on ne peut apparemment pas aimer qu'en aimant simplement celles qui vous aiment. Ressens le besoin d'amour de chaque âme, et laisse-toi devenir un canal au travers duquel l'amour peut couler pour répondre à ce besoin!

Si chaque personne apprend à aimer au nom de l'amour, le poids du monde sera allégé, car l'amour apporte un élément de légèreté là où il y avait lourdeur et obscurité. L'amour commence en chacun, alors regarde dans ton propre cœur et fais-le émerger. Donnes-en librement et avec une joie authentique!

27 AOUT

Rends grâce pour toute chose. Garde ton cœur grand ouvert et laisse ton sentiment de gratitude se déverser en un flot infini. Il y a tant de choses pour lesquelles être reconnaissant. La gratitude t'invite à garder les yeux ouverts sur Moi et sur Mes merveilles. Ainsi tu ne rates rien et tu Me vois en tout se qui se fait. Tu sais qu'il y a une intention et un plan sous-jacents à ta vie; rien n'arrive par hasard. Tout contact est juste, toute action est guidée.

Tu dois avoir une foi inébranlable pour être capable de vivre de cette façon, être sûr que ta vie est guidée et dirigée par Moi. Cela signifie que tu dois d'abord M'abandonner tout de toi pour que Je l'utilise comme Je le veux. Tu dois apprendre que c'est seulement lorsque tu donnes tout que tu reçois tout. Tu ne peux le faire que lorsque tu as appris à M'aimer de tout ton cœur, de toute ton intelligence, de toute ton âme et de toute ta force; car sans amour tu ne peux pas accomplir ces pas, tu ne peux vivre cette vie. Alors ouvre ton cœur et aime!

28 AOUT

Apprendre à mettre les choses essentielles au premier plan est d'importance vitale, car ce ne sera qu'ainsi que tout s'accomplira parfaitement. Sonde ton cœur et vois ce que tu mets en premier: Est-ce toi-même et ton propre bien-être? Est-ce ton travail et ton environnement matériel? Es-tu content de traverser la vie complètement inconscient de Moi, sûr que tu peux avancer tout aussi bien sans Mon aide et que tu n'as aucunement besoin de Moi? Tu es absolument libre d'adopter toute attitude que tu souhaites. Personne ne t'arrêtera. Mais tu dois être prêt à en assumer les conséquences quand les choses ne vont pas. Souviens-toi, lorsque tu sais ce qui est juste et que tu choisis de n'en faire qu'à ta tête, ta responsabilité est encore plus grande, car tu ne peux pas plaider l'ignorance. L'excuse selon laquelle il y a tant à faire que le temps pour tout accomplir fait défaut, cette excuse ne doit jamais être invoquée. Je te dis que lorsque tu mets les choses essentielles au premier plan, il y a du temps pour tout.

29 AOUT

TU dois faire ton propre travail dans cette vie spirituelle. JE SUIS toujours là pour aider les âmes qui s'aident elles-mêmes, mais tu dois faire le premier pas. Tu n'apprendras jamais de leçons si l'on fait tout pour toi. Tu ne peux pas élever un enfant en faisant tout pour lui. Tu dois le laisser faire les choses par lui-même. Peu importe que ses actions soient lentes ou hésitantes au début, tu dois être très patient et rester en arrière. Avec une infinie patience et beaucoup d'amour, Je dois rester en arrière et te voir effectuer ton propre travail et faire des erreurs. Mais souviens-toi toujours: tu bénéficieras de tes erreurs; rien ne se fait en vain. Tu apprends tout le temps de nouvelles leçons et tu avances le long de ce chemin spirituel. Chaque pas, aussi petit soit-il, te mène plus prêt du but: la réalisation de ton Unité avec Moi. Jusqu'à ce que, finalement, tu te rendes compte qu'il n'y a pas de séparation, que tout est un et que tu fais partie de cette vie unique et radieuse.

30 AOUT

Te demandes-tu parfois pourquoi tu es là, à faire ce que tu fais? Des doutes occupent-ils jamais ton esprit? Cherche tout au fond de ton cœur, et réponds honnêtement à ces questions. Puis, si tu sens que tu es encore un de ces St. Thomas incrédules, prends du temps pour être tranquille, pour chercher un éclairage venant de l'intérieur, et trouve ta juste place dans la totalité de ce vaste plan. Je peux t'assurer que ce n'est pas par hasard que tu es où tu es.

La vie a pu être très dure pour toi. Tu peux avoir eu à traverser beaucoup de tests et d'épreuves. Tu peux même avoir été plongé dans la fournaise ardente. Tu peux être sûr qu'il y a une raison à tout cela: que toutes les scories puissent être brûlées et que rien d'autre que l'or pur, le « JE SUIS au-dedans » ne demeure, et que Je puisse travailler dans et à travers le « JE SUIS » pour accomplir Mes merveilles et Ma gloire aux yeux de tous.

31 AOUT

Pour apprendre les lois de la manifestation, il y a des leçons d'importance vitale: la patience, la persistance et la persévérance. Tu dois apprendre l'obéissance implicite et avoir le désir de suivre Mes instructions, aussi folles puissent-elles paraître. C'est seulement lorsque ces leçons ont été apprises et mises en pratique que les choses les plus merveilleuses commencent à arriver dans ta vie, et qu'en effet tu contemples Mes lois vécues et démontrées. Souviens-toi toujours: tu dois faire quelque chose, tu dois vivre une vraie vie et non pas seulement passer ta vie à prier, en espérant que quelque chose arrive. La prière est nécessaire, mais elle n'est pas suffisante. Tu dois apprendre à vivre une vraie vie pour que tous la voient. Parler de la foi ne suffit pas. Tu dois vivre de telle manière que toutes les âmes autour de toi puissent voir ce que cela veut dire de vivre par la foi, de mettre ta foi et ta confiance entières en Moi, le Seigneur ton Dieu, la divinité en toi.

SEPTEMBRE

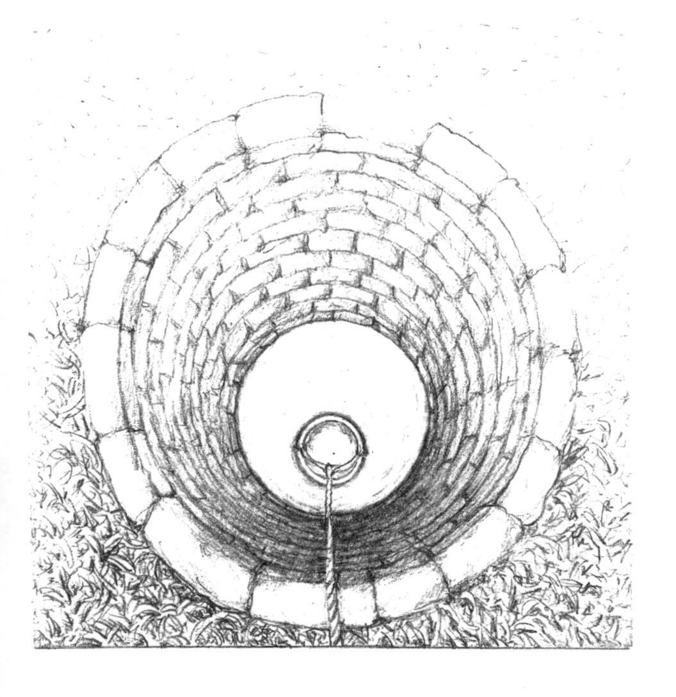

Il me fut montré un puits profond, sombre.
En haut du puits il y avait un seau
auquel était attachée une corde.
Je vis qu'on descendait le seau dans le puits
et quand il fut tiré de l'obscurité,
il était rempli à ras bord d'eau claire et pure.
J'entendis les mots:

Au fond de chaque âme se trouve la pureté
de l'esprit. Prends du temps pour la chercher
jusqu'à ce que tu la trouves,
et puis fais-la émerger.

1er SEPTEMBRE

Tu peux planer à de grandes hauteurs avec un cœur rempli de louanges et de remerciements. Mais, comme l'alouette minuscule, tu dois décoller du sol, tu dois faire cet effort particulier. Ce n'est pas nécessairement une tension; cela peut être un effort joyeux, fait d'un cœur léger. Pourquoi rester cloué au sol, alors qu'en agissant tu peux changer complètement ta vie? Que tes objectifs soient élevés! Plus ils sont élevés, mieux c'est.

Attends-toi aux événements les plus merveilleux, pas dans l'avenir, mais tout de suite. Avance à grands pas égaux et fermes, sachant intérieurement et sûrement que tu atteindras chaque but que tu t'es fixé. Pourquoi ne pas faire quelque action positive aujourd'hui? Pourquoi ne pas commencer à faire tourner les roues? Lorsque tu auras fait ta part, tu recevras toute l'aide que tu demandes, mais pas avant. Aie confiance en ta capacité à faire toutes choses parce que tu puises ta substance en Moi. Tu peux faire toutes choses lorsque ta foi et ta confiance sont en Moi!

2 SEPTEMBRE

Si tu as le désir d'apporter la paix et l'harmonie dans le monde, alors commence par trouver la paix et l'harmonie dans ton propre cœur. Parler de la paix est une perte de temps. Tu dois chercher et trouver cette conscience de paix que rien ni personne ne puisse troubler, et demeurer en elle. Dans cet état de conscience, tu pourras être efficace et aider à apporter la paix et l'harmonie dans la vie du plus grand nombre.

Aie consciemment connaissance de la paix et de l'harmonie dans ta propre vie d'abord et, comme une pierre jetée au milieu d'un étang, les cercles s'élargiront, toucheront et changeront la vie de nombreuses personnes.

« Tu récolteras ce que tu sèmes! » Lorsque tu sèmes la discorde et la disharmonie, tu récoltes la discorde et la disharmonie; tandis que lorsque tu sèmes paix et harmonie, la moisson de paix et d'harmonie sera grande, pas seulement pour toi, mais pour toutes les âmes avec lesquelles tu entres en contact.

3 SEPTEMBRE

Donne et continue à donner. N'essaie jamais de retenir quoi que ce soit. Veille à ce que toute chose coule librement et sans cesse. Que ce soit talent, amour, argent ou possessions, fais-les circuler, mets-les en mouvement. Si tu le fais, tu verras que cela augmentera mille fois. La force de vie dans ton corps ne peut être retenue; elle doit bouger sans cesse, circuler sans cesse; c'est seulement ainsi qu'une énergie vitale nouvelle, plus fraîche et même plus grande peut te pénétrer, et seulement ainsi que tu peux devenir un être plein de vie. Il en est de même pour tout: garde tout en mouvement et ne retiens jamais le flot.

Regarde la vie se déployer pour toi en une totale perfection. Vois comme chacun de tes besoins est comblé juste au bon moment! Attends-toi à cela, et ne laisse aucun doute faire irruption dans ta conscience. Sois positif pour tout, peu importent les conditions extérieures apparentes. Sens que ces pensées mesquines disparaîssent et sont remplacées par plus grand et plus abondant. Aie une foi absolue que tout est très, très bien, et que tout est parfaitement mené à bien parce que tout est entre Mes mains!

4 SEPTEMBRE

Garde toujours devant toi la vision de la perfection, de l'harmonie et de la beauté, et vois-les en tout et en tous. Laisse l'amour en toi déborder comme de l'eau et s'écouler vers tous de façon identique. Qu'il n'y ait pas de discrimination en toi, car tous sont issus de Moi; tout le monde est une seule famille. L'amour universel commence en chaque personne et se fraie un chemin vers l'extérieur.
Si chacun en prend conscience et permet à cet amour de couler librement, de grands changements adviendront dans le monde, car c'est l'amour qui transmute toute haine, toute jalousie, envie, critique et convoitise. Voici les causes de la guerre, de la destruction et de la mort. L'amour crée la vie, la vie sans fin, la vie abondante. L'amour apporte avec lui paix, joie et bonheur et contentement qui demeurent. Par dessus tout, il apporte unité et l'harmonie. Alors si tu as erré sur les routes et les chemins de traverse et si tu t'es perdu, reviens sur le chemin de l'amour qui mène tout droit à Moi, et là tu Me trouveras qui t'attend au fond de toi.

5 SEPTEMBRE

Si tu choisis de faire Ma volonté et de suivre Mon chemin, tu dois le faire de tout ton cœur, quelles qu'en soient les conséquences. Tu dois accepter le difficile comme le facile pendant que tu apprends cette leçon vitale d'obéissance instantanée à Ma volonté.

C'est seulement lorsque tu donneras tout que tu recevras tout. Dans cette vie spirituelle, tu ne peux pas choisir les meilleurs morceaux et laisser le reste; c'est tout ou rien. Beaucoup d'âmes aiment choisir les parties de cette vie qui leur plaisent et ignorer ce qui ne concorde pas avec leurs désirs fondamentaux. Agir ainsi n'est pas vivre une vie spirituelle; c'est prendre et choisir ce que tu veux faire, non pas ce que Je demande de toi. Tu ne peux pas t'attendre à ce que les choses marchent pour toi si telle est ton attitude. J'ai besoin de ton abandon total et de ta totale consécration avant de pouvoir accomplir merveilles et miracles en toi et à travers toi. Maintenant que tu sais, pourquoi ne pas faire quelque chose dans ce sens?

6 SEPTEMBRE

Vis un jour à la fois. N'essaie pas de te précipiter en avant, plein de projets pour demain, car demain ne viendra peut-être jamais. Jouis pleinement d'aujourd'hui; apprécie-le comme si c'était ton dernier jour. Fais toutes les choses merveilleuses auxquelles tu as aspiré, non pas négligemment, ni distraitement, mais avec une joie réelle. Sois comme un petit enfant qui n'a pas une pensée pour demain et a oublié ce qui est arrivé hier, mais vis simplement comme si le seul moment qui importait était maintenant.

Maintenant est le moment le plus passionnant que tu aies jamais connu, alors n'en manque pas une seconde. Vis sur le qui-vive: tout peut arriver à tout moment! Si tu vis de cette manière, tu es prêt et ouvert à tout ce qui peut se passer. Les changements viendront et ils viendront très rapidement. Elève ton cœur en une profonde gratitude alors qu'ils arrivent, un par un. Vois toujours le meilleur dans chaque changement qui se fait.

7 SEPTEMBRE

La prochaine fois que tu es confronté à un travail qui ne te plaît pas, avant même de le commencer prends du temps pour changer toute ta manière de le voir. Imagine-toi l'accomplissant pour Moi, et si ton amour pour Moi est ce qu'il devrait être, tu trouveras une joie réelle et un vrai délice à faire toute chose parfaitement. Qui plus est, tu verras que tu as beaucoup de temps pour faire tout ce qui doit être fait. Ne perds jamais de temps à te convaincre toi-même que tu n'as pas le temps et que tu es beaucoup trop occupé. Simplement, va de l'avant, et fais ce qui doit être fait. Laisse ta vie couler sans heurt et paisiblement sans aucune précipitation. Lorsque tu commences la journée de la bonne manière, avec un cœur plein d'amour et de gratitude et avec le sentiment que ce sera un jour merveilleux où tout se mettra parfaitement en place, tu attireras tout cela à toi.

8 SEPTEMBRE

Laisse Moi travailler en toi et à travers toi. Laisse Mon amour et Ma lumière couler librement en toi et à travers toi jusque dans le monde. Prends conscience que c'est comme au commencement, quand nous marchions et parlions ensemble, et que tu as parcouru le cycle complet, que tu es revenu encore une fois pour faire un avec Moi, le Bien-aimé. N'en rêve pas! N'aspire pas à ce que ce soit ainsi; sache simplement qu'il en est ainsi maintenant et qu'il n'y a plus de séparation. Tu n'as plus à errer dans le désert, perdu et seul, ne sachant pas de quel côté te tourner.

Vois que chacun de tes pas est guidé et dirigé par Moi, et qu'à mesure que tu deviens plus conscient de Moi, de Ma divine présence, tu ne peux plus jamais perdre ton chemin. Alors rends grâce éternellement et laisse ton cœur être si plein de joie et de gratitude que tu les exprimes à tout moment et que chacune de tes respirations dise : « Merci, Bien-Aimé »!

9 SEPTEMBRE

Quand une âme a l'intention de tirer le plus de choses possibles de la vie sans donner, cette âme ne peut pas trouver de bonheur réel ni de joie réelle qui demeurent; car c'est en pensant aux autres et en vivant pour eux qu'on trouve une joie et un contentement intérieurs profonds. Personne ne peut vivre sur lui-même et être heureux. Lorsqu'à n'importe quel moment de la vie, tu te trouves avec un sentiment de mécontentement et d'insatisfaction, tu peux être sûr que c'est parce que tu as cessé de penser aux autres et que tu t'es trop replié sur toi-même. La façon de changer est de commencer à penser à quelqu'un d'autre et à faire quelque chose pour cette personne de manière à t'oublier complètement. Il y a tant d'âmes dans le besoin qu'il y a toujours quelque chose de possible à faire pour quelqu'un d'autre. Alors pourquoi ne pas ouvrir les yeux, ouvrir ton cœur et laisser la lumière te montrer le chemin, laisser l'amour guider tes actes? Que Mon amour te remplisse et t'enveloppe; sois parfaitement en paix!

10 SEPTEMBRE

Lorsque tu plantes une graine dans le sol, elle peut ressembler à n'importe quelle autre graine, brune et sèche, apparemment sans force de vie en elle. Néanmoins, tu la mets dans le sol avec confiance et, au bon moment, elle commence à pousser. Elle sait ce qu'elle va donnerr. Tu sais ce que tu as mis dans le sol uniquement par ce qui était écrit sur le paquet, mais tu as confiance que la plante spécifique poussera à partir de cette graine spécifique, et c'est ce qui arrive.

Lorsque tu plantes les idées et les pensées justes dans ton mental, tu dois le faire en totale confiance, sachant que seule la perfection surgira de ces idées et de ces pensées. A mesure que ta confiance devient forte et inébranlable, ces pensées et idées contructives commencent à grandir et se développer. De cette manière tu peux accomplir n'importe quoi. C'est ce pouvoir intérieur en chacun qui fait le travail. C'est le JE SUIS en toi.

11 SEPTEMBRE

Tant que tu ne commences pas à mettre en pratique ce que tu apprends, tu ne sais pas si cela marche ou non pour toi. Cela peut marcher pour d'autres, mais qu'en est-il pour toi? Souviens toi, tu ne peux pas plonger dans les expériences spirituelles intérieures profondes de quelqu'un d'autre. Cela aide de lire, d'apprendre des choses à leur sujet, et même d'en entendre parler et d'en parler. Mais il dépend de toi de les vivre et de les mettre en pratique dans ta propre vie si tu désires vivre par l'Esprit, vivre par la foi. Personne ne peut te faire vivre cette vie. Chaque âme est absolument libre de faire son propre choix. Qu'as-tu choisi de faire? Simplement t'installer confortablement et passer le reste de ta vie à écouter les expériences des autres? Ou bien vas-tu commencer dès maintenant à vivre une vie totalement consacrée à Moi, mettant en pratique toutes ces merveilleuses leçons que tu as apprises, pour voir comment elles marchent effectivement?

12 SEPTEMBRE

Beaucoup d'âmes trouvent très difficile d'accepter leur relation d'amour avec tous les êtres humains. Cette séparation est la cause de tous les malheurs dans le monde, la cause de tous les conflits et de toutes les guerres.

L'endroit où commencer à remettre les choses en ordre est en toi-même et dans tes relations personnelles avec toutes les âmes avec lesquelles tu entres en contact. Cesse de montrer du doigt et de critiquer les âmes avec lesquelles tu ne peux pas t'entendre dans le monde. Mets ta propre maison en ordre! Tu as plus qu'assez à faire avec toi-même, sans mettre tes semblables en pièces et faire ressortir toutes leurs fautes, leurs manquements et leurs torts. Quand tu voudras bien te regarder en face et rectifier les choses en toi, tu pourras aider tes compagnons humains, simplement par ton exemple, non par la critique, l'intolérance et les mots de reproche. Aime tes frères humains comme JE t'aime! Aide-les, bénis-les, encourage-les et vois le meilleur en eux.

13 SEPTEMBRE

Sache d'une certitude intérieure que JE ne te donne jamais plus à porter que ce que tu es capable et que tu n'as jamais à le porter seul, car JE SUIS avec toi, toujours. Donc faisons toute chose ensemble!

Quand tu seras vraiment conscient de ce soutien, tu ne te sentiras plus jamais surchargé par le poids de tes responsabilités, aussi grandes puissent-elles être. J'ai besoin des âmes qui veulent bien assumer des responsabilités et qui ne s'effacent pas devant elles, car il Me faut travailler dans et à travers des âmes complètement consacrées qui sont prêtes à s'oublier complètement pour Mon service et celui de leurs semblables. Est ce que tu es prêt à le faire? Cette vie demande une solididité et un dévouement complets. Es-tu persévérant dans ton travail pour Moi? Dédies-tu chaque jour à Mon service? Es-tu obéissant à Mon plus léger murmure? Tu mesures sûrement maintenant que toutes les choses ne s'organisent ensemble au mieux que lorsque tu M'aimes vraiment et Me mets au premier plan.

14 SEPTEMBRE

Que l'équilibre soit en tout! Travaille dur mais apprends aussi à jouer « dur », et à faire ce que tu aimes beaucoup faire, quoi que cela puisse être. Peu importe si tes plaisirs sont simples ou extravagants, tant que tu trouves en eux une joie réelle. Quand tu fais quelque chose que tu aimes, peu importe à quel point c'est ardu; tu ne te sentiras pas épuisé mais vivifié et élevé. Le travail ne devrait jamais être une corvée, et il ne le sera jamais lorsque ton attitude envers lui sera juste et que tu prendras plaisir à ce que tu fais. Quand tu auras de l'équilibre dans ta vie, tu trouveras une globalité en elle et tu n'auras d'overdose ni de travail ni de jeu. L'un est aussi mauvais que l'autre. Ne compare jamais tes plaisirs avec ceux de qui que ce soit; ce que tu aimes faire peut n'attirer personne d'autre. Fais ce que tu aimes faire et laisse les autres suivre ce qui les attire. Vis et laisse vivre!

15 SEPTEMBRE

Souviens-toi toujours: quand tu aspires à quelque chose suffisament ardemment, tu peux le faire advenir. Si tu aspires à l'Unité, à la globalité, elle peut t'appartenir si tu donnes tout pour la faire venir. Ton amour et ton ardent désir de faire un avec Moi se suivront comme le jour suit la nuit, rien ne peut l'arrêter. C'est une chose qui se passe au fond de chaque âme, et une fois que cette graine de désir a été plantée elle pousse et pousse.
Quelle est ta plus profonde aspiration? Veux-tu tout Me donner? As-tu le désir d'abandonner toutes ces petites indulgences personnelles et ces petits désirs qui peuvent causer la séparation? Il ne tient qu'à toi de prendre ta propre décision et de connaître le désir de ton cœur. Ne compte pas sur qui que ce soit d'autre pour te dire ce que c'est. C'est une chose que tu dois faire toi-même sans aucune aide extérieure. JE SUIS là pour t'aider. Recherche Mon aide à tout moment!

16 SEPTEMBRE

La vie est pleine et débordante de neuf, mais il est nécessaire de débarasser l'ancien pour faire de la place pour permettre au nouveau d'entrer. Le processus de nettoyage par le vide peut être très douloureux, car lorsque tu as été vidé de l'ancien, tu peux ressentir n'avoir plus rien à quoi t'accrocher et être seul et dépouillé de tout. Tu peux ressentir que la vie est complètement morte et vide, sans signification, et tu as envie de lever les bras en l'air de désespoir.

Prends conscience que si tu traverses un tel moment, c'est ce processus d'être vidé de l'ancien qui se déroule, afin que tu puisses être rempli une fois encore par le nouveau. Ne perds jamais espoir, mais tiens-bon jusqu'à ce que tu sois complètement vidé et purgé de tout. Puis tu peux recommencer dans la nouveauté de l'Esprit et dans la vérité. Tu peux devenir comme un petit enfant et apprécier pleinement le merveilleux de cette vie nouvelle tandis que, graduellement, tu t'en remplis.

17 SEPTEMBRE

Je Suis amour! Pour Me connaître tu dois avoir l'amour dans le cœur; car sans amour tu ne peux Me connaître. Fais couler sans cesse l'amour librement et apprends à aimer ce que tu fais; aime ton environnement et aime toutes les âmes autour de toi. Aime et n'en compte jamais le prix; ne recherche jamais de récompense. Tu ne peux jamais donner trop d'amour, alors n'aie pas peur, et n'essaie pas de bloquer le flot d'amour, même lorsqu'on te repousse. Quand cela arrive, il est facile de fermer son cœur et de se retirer, de peur d'être blessé. Ne le fais pas. Cela ne fera que te durcir et t'aigrir, et dans cet état tu ne pourras jamais aider une autre âme, car personne n'est attiré vers quelqu'un qui a un cœur dur et sans amour. Utilise la sagesse et la compréhension en association avec l'amour, et ainsi tu garderas le parfait équilibre. La première leçon de la vie est d'apprendre à aimer. Ne perds pas de temps et apprends vite cette leçon!

18 SEPTEMBRE

Est-ce que ta vie se déroule bien? Es-tu content de ce que tu fais? Te sens-tu en paix avec le monde, ou bien ta vie est-elle pleine de hauts et de bas? Es-tu insatisfait de la façon dont tu vis ou du travail que tu fais? Trouves-tu difficile de t'harmoniser avec les âmes autour de toi? Accuses-tu de ton mécontentement et de ton insatisfaction les gens que tu côtoies, les circonstances et ta situation? As-tu l'impression que si tu étais ailleurs, tout serait bien et que tu serais en paix?

Lorsque tu es parfaitement en paix en toi, peu importe où tu es, avec qui tu es, ou bien quel travail très ordinaire ou très terre à terre tu fais. Rien ne pourra te troubler ou te déséquilibrer, parce que tu seras parfaitement en équilibre et en harmonie en toi. Au lieu de te battre contre les circonstances de ta vie, apprends à couler avec elles et ainsi à trouver au fond de toi cette paix et cette compréhension profondes.

19 SEPTEMBRE

JE SUIS la source de toute vie! Quand tu te mets en rythme avec Moi, tout coule bien. Beaucoup d'âmes se demandent pourquoi la vie est pleine de hauts et de bas ou pourquoi beaucoup de choses vont mal et, immédiatement, elles sont prêtes à blâmer tout et tous, sauf elles-mêmes.

Si tu prends du temps pour trouver pourquoi tu es en disharmonie avec la vie, tu verras très souvent que tu ne mets pas les choses essentielles en premier et que tu ne prends pas de temps pour trouver le silence, dans la paix et la tranquillité — ce que J'attends de toi. Cela demande du temps, cela demande de la patience, cela demande foi et croyance. Cela veut dire qu'il te faut apprendre à être calme. Je veux que tu apprennes à chercher les réponses à tes problèmes seul avec Moi. J'aspire à ce que tu puisses te reposer entièrement sur Moi pour toutes choses, pour réaliser que ta force, ta sagesse, ta compréhension viennent tous de Moi.

20 SEPTEMBRE

Lorsque tu as le sentiment que tu as atteint le fond et que tu ne peux pas faire un pas de plus, ou quand la vie semble être dénuée de tout sens, quelle merveilleuse occasion pour tout recommencer à nouveau! C'est une chose que toutes les âmes peuvent faire si elles le veulent et si elles peuvent accepter, en toute humilité, que leur vie n'est qu'un désastre lorsqu'elles essaient de la prendre en main toutes seules. Elles peuvent le faire si elles ont le désir de Me donner leur vie et de Me laisser la gérer.

Rends grâce constamment pour ce nouveau jour, pour ce nouveau chemin, et pour cette nouvelle opportunité de recommencer. Sens que J'ai besoin de toi, et que lorsque tu es dans un état négatif, tu te fermes à Moi. Invoque-Moi et Je te répondrai. Je serai avec toi dans la difficulté. Je t'élèverai et mettrai tes pieds sur le bon chemin, et Je guiderai chacun de tes pas. JE SUIS avec toi, toujours.

21 SEPTEMBRE

Mon plan pour toi est parfait et se mettra en place exactement au bon moment. N'essaie jamais de faire aller les choses plus vite, mais observe-les qui se déploient et se développent. Si la vie semble se dérouler très lentement, ne sois pas impatient. Apprends à Me servir dans la foi et la confiance absolues, et sache que toutes choses adviendront au bon moment, car il y a, en vérité, un bon moment et une bonne saison pour tout.

Souviens-toi que tu ne peux pas changer les saisons de l'année ni les mouvements des cieux ou des marées. L'univers est entre Mes mains et personne ne peut lui faire de mal. Avance dans une foi et une confiance totales, et laisse se déployer Mes merveilles et Ma gloire. Ne crains rien, mais sois fort et aie du courage. Lorsque tu seras parfaitement en paix en toi, tu pourras résister au stress et tensions extérieurs. Donc, laisse Ma paix et Mon amour te remplir et t'envelopper et sois parfaitement en paix tandis que tu fais Ma volonté.

22 SEPTEMBRE

Ne perds pas de temps en vaines pensées et bavardages. Utilise chaque instant en pensées et en paroles aimantes, positives, constructives. Rends-toi compte que les pensées que tu projettes peuvent aider ou abîmer; par conséquent, sois maître de tes pensées et de tes paroles et non leur esclave. Pourquoi ne pas jouir pleinement de la vie? Tu ne peux le faire que lorsque tu donnes le meilleur de toi en temps, en paroles et en actes. Ouvre les yeux et ouvre ton cœur, vois et sens le meilleur en tous et en tout autour de toi. Si tu as de la difficulté à trouver le meilleur, continue simplement à le chercher jusqu'à ce que tu l'aies trouvé; il est là qui t'attend.

Il y a beaucoup de choses merveilleuses dans le monde. Pourquoi ne pas prendre du temps pour te concentrer sur elles et en remplir ta vie, afin que celles qui sont déplaisantes, malheureuses et discordantes ne puissent y trouver place? La vie est ce que tu en fais. Que fais-tu de la tienne?

23 SEPTEMBRE

Tu ne peux pas faire une partie de tennis en restant simplement debout avec une raquette et une balle entre les mains. Tu dois lever la raquette et frapper la balle pour l'envoyer par dessus le filet. Tu dois agir. Il en est de même avec la foi. Tu dois faire quelque chose pour te prouver à toi-même que ça marche quand tu vis par elle. Plus tu l'essaies et vois que ça marche, plus tu deviens confiant, jusqu'à ce que tu sois prêt à faire n'importe quel pas dans la foi, sans hésitation, parce que tu sais que nous le faisons ensemble. Tout est possible quand tu es prêt à faire cela.

Tu dois avoir foi en ta capacité à nager avant de sauter dans l'eau profonde en toute confiance; autrement tu te noieras. Tu dois croire à la possibilité de vivre par la foi avant de pouvoir le faire. La foi engendre la foi. Comment peux-tu dire si tu peux Me faire confiance ou non, si tu n'essaies pas pour voir s'il en est ainsi?

24 SEPTEMBRE

Cette époque est cruciale et on a besoin que chaque âme soit à la place où elle doit être. C'est comme si un vaste puzzle était assemblé: il y a une juste place pour chaque pièce minuscule. Es-tu à la place où tu dois être? Toi seul peut le savoir. Sens-tu que tu te fonds parfaitement avec le tout et que tu ne crées aucune note désagréable ou discordante? Paix, harmonie et tranquillité doivent être en toi pour te stabiliser et t'aligner avec ce qui s'apprête à se mettre en place.

Par conséquent il est nécessaire d'être calme et de trouver cette paix à l'intérieur afin que rien ni personne ne puisse la troubler. Sois comme une ancre, fort et stable, de façon à ce qu'aucune tempête ne puisse t'affecter ou te faire bouger de ta place. Tiens-toi fermement et sache que tout est très, très bien et que tout se passe selon Mon plan parfait. Que ton cœur ne se trouble pas, mais mets toute ta foi, ta confiance et ta sécurité en Moi!

25 SEPTEMBRE

De la même manière que tu apprends à donner, tu recevras. Ouvre ton cœur et donne tout ce que tu peux des dons qui t'ont été faits. Donne ton amour, ta sagesse, ta compréhension. Donne du tangible aussi bien que de l'intangible! En fait, donne, donne et continue à donner sans une seule pensée pour toi-même, sans une seule pensée pour ce que cela te coûte ou pour ce que ce que tu vas en retirer. Lorsque tu donnes, cela doit être fait de tout cœur et joyeusement; alors tu verras que le seul fait de donner apportera avec lui joie et bonheur indicibles. Toute âme a quelque chose à donner, alors trouve ce que tu as à donner et puis donne-le. N'oublie jamais qu'il y a plusieurs niveaux sur lesquels donner. Ne donne pas seulement ce qu'il est facile de donner, mais donne là où ça fait mal, et, ce faisant, grandis et épanouis-toi car il ne peut sortir que le meilleur de ce que tu donnes.

26 SEPTEMBRE

Détends-toi et sache qu'il y a du temps pour tout. Chacun a une somme égale de temps, mais c'est la façon dont tu l'utilises qui importe. L'utilises-tu pleinement et l'apprécies-tu à chaque instant, ou le disperses-tu en omettant de mettre les choses essentielles en premier? Cesse d'être un esclave du temps. Pourquoi ne pas en faire plutôt ton serviteur? Ainsi il ne te contrôlera jamais mais c'est toi qui le contrôleras. Accepte de ne pouvoir faire qu'une chose à la fois; fais-la parfaitement et puis, passe à la suivante. N'essaie jamais de regarder trop loin devant. Tu ne peux vivre qu'un moment à la fois. Si tu essaies de planifier trop loin à l'avance, tu peux être très déçu lorsque les choses ne marchent pas comme tu l'avais prévu. Beaucoup de changements peuvent se passer et dans ton planning, tu ne peux pas en tenir compte. C'est mieux de vivre pleinement sur le moment et de laisser l'avenir prendre soin de lui-même.

27 SEPTEMBRE

Ne perds jamais de temps ni d'énergie à espérer être autre part à faire autre chose. Accepte ta situation et prends conscience que tu es où tu es, à faire ce que tu fais, pour une raison particulière. Rends-toi compte que rien n'est dû au hasard, que tu as certaines leçons à apprendre et que la situation que tu vis t'a été donnée pour te permettre d'apprendre ces leçons aussi rapidement que possible, afin que tu puisses avancer et t'élever tout au long de ce chemin spirituel.

Tu ne veux sûrement pas rester coincé dans une ornière, aussi sure et sécurisante puisse-t-elle être. Songe combien la vie serait ennuyeuse et sans intérêt si ton choix était une ornière. La vie est pleine de choses passionnantes et de promesses lorsque tu veux bien avancer sans peur dans l'inconnu et faire le pas suivant dans la foi et la confiance absolues en M'ayant pour guide et compagnon. N'aie pas peur. JE SUIS toujours avec toi.

28 SEPTEMBRE

Souviens-toi toujours que tu peux faire quelque chose pour l'état dans lequel est le monde, par un changement complet du cœur, du mental et de l'esprit. C'est lorsque tu comprendras cela, que tu assumeras tes responsabilités et feras quelque chose en ce sens, que les changements adviendront, modestement pour commencer, puis en s'élargissant jusqu'à ce que tout y soit inclus. Vois à quel point c'est merveilleux, encourageant, de savoir que tu peux faire quelque chose pour rectifier l'état du monde en changeant en toi, et ainsi refléter ces changements à l'extérieur. Bénis soient ceux qui sont de bonne volonté et ouverts, ceux qui voient le besoin de changement et qui font quelque chose pour cela! Ils sont comme le levain dans la pâte qui permet au pain de lever. Sans le levain, le pain ne lèverait pas. Sans changement, tout demeurerait statique, stagnerait et mourrait. Alors change et épanouis-toi avec une joie et une gratitude réelles, et sois reconnaissant de pouvoir le faire. Et mets-toi en action maintenant.

29 SEPTEMBRE

Tu as souvent entendu ces mots: « La vie est ce que tu en fais » mais qu'en as-tu fait? Ne vois-tu pas que tu contrôles ta vie, ton bonheur, ton succès, tes joies et tes chagrins? La vie peut être merveilleuse, excitante et splendide, mais il ne tient qu'à toi de la rendre ainsi en espérant le meilleur. Vis un jour à la fois et vis-le pleinement. Ne perds jamais de temps à t'inquiéter du lendemain et de ce qu'il peut apporter, ni à te laisser aller au découragement parce que tu sens que tu ne peux pas faire face à toutes les éventualités? Regarde toujours le bon côté de la vie et concentre-toi dessus dans l'éternel présent. Le fait qu'hier ne s'est pas bien passé ne veut pas dire qu'il en sera de même aujourd'hui. Laisse hier derrière toi. Tires-en la leçon, mais ne le laisse pas gâcher aujourd'hui. Aujourd'hui est devant toi, pur et sans tâche. Que vas-tu en faire?

30 SEPTEMBRE

Dans la vie, il est important d'avoir un but et d'avancer sans cesse vers lui. Vois qu'il existe un dessein et un plan réels dans ta vie, même si tu ne les vois pas toujours clairement. Quand tu descends dans une vallée, ou lorsque le chemin est sinueux, tu ne peux pas toujours voir au-delà du prochain tournant. Tu verras qu'il te sera donné de temps à autre une expérience spirituelle exaltante qui t'emportera à travers les passages difficiles et te permettra de continuer, peu importe ce à quoi tu es confronté. Vise haut. Plus c'est haut, mieux c'est!
Alors il te faudra continuer à avancer, à grandir et à t'épanouir pour y arriver. Tu ne peux jamais t'installer confortablement et être satisfait de toi-même; tu ne peux jamais rester statique. Tu cherches toujours à atteindre le barreau suivant sur l'échelle de la vie, et tu sais que chaque barreau te mène plus près du but; aussi éloigné puisse-t-il être. Alors continue encore et toujours, et n'abandonne jamais!

OCTOBRE

Des feuilles d'automne tombant d'un arbre,
puis un arbre dépouillé de toutes ses feuilles,
me furent montrés.
J'entendis les mots:

Ne t'inquiète pas. La force de vie est
à l'intérieur et, de cette force de vie surgira
le nouveau. Sache que l'ancien doit mourir
afin que le nouveau puisse naître.

1er OCTOBRE

Apprends à être vraiment optimiste et attends-toi au meilleur dans tout ce que tu entreprends. Sache que tu en es capable, que tu le feras parfaitement et qu'il n'y aura rien de fait à la va-vite dans ton travail ou dans ta vie. Fais-le simplement pour Moi et pour Ma gloire et tu ne pourras faire toute chose qu'avec amour et, par conséquent, à la perfection. Ce principe s'applique aussi à ton apparence et à ton comportement. Quand tu feras tout pour Moi et que ton plus grand désir sera de faire Ma volonté à cause de ton amour pour Moi, tu voudras toujours tout faire bien. Tu voudras toujours avoir la meilleure apparence et donner le meilleur de toi-même, et tu ne seras jamais satisfait par quelque chose de moindre.

Il est nécessaire de temps à autre de prendre du temps pour voir en quoi tu as besoin de changer; et, à ce moment-là, sois prêt à le faire. Apprends à changer et change vite, et sache que, en vérité, tout changement est pour le mieux.

2 OCTOBRE

Toute âme a quelque chose à partager. Il y a des dons et des trésors à beaucoup de niveaux différents. Tu peux ne pas avoir de dons matériels, mais tu peux être sûr que tu as d'autres dons, quels qu'ils soient. Ne les garde pas pour toi-même, mais aie le désir de les faire émerger à la lumière, dévoile-les et puis utilise-les comme il se doit, jamais pour ta propre glorification mais toujours pour Mon honneur et pour Ma gloire. Ne possède rien, mais utilise et jouis à plein de tout ce que tu as. Qu'as-tu à donner?
Prends du temps pour trouver, si tu ne sais pas. Donne de tout ton cœur et donne avec joie, et sois reconnaissant d'avoir quelque chose à donner, quoi que cela soit. Quand tu as choisi de vivre de cette manière, complètement consacrée à Moi et à Mon travail, tu ne peux plus t'accrocher à quoi que ce soit. Sache que tout ce que tu as M'appartient, et que, par conséquent, c'est là pour être partagé avec le tout.

3 OCTOBRE

Tu as une grande responsabilité entre les mains car Je déverse sur toi tous mes dons parfaits et bons. Tes pieds ont été placés sur le chemin menant au Nouvel Age, et tu y pénètres de plus en plus, tout le temps, et tu commences à en faire partie.

Tu ne peux plus te donner des excuses lorsque tu omets de faire ce que tu devrais, en disant que tu ne savais pas ou ne t'en rendais pas compte, car tu es responsable de chacun de tes actes. Tu sais comment maîtriser tes pensées et tes actes; par conséquent, fais-le!

N'essaie jamais de te cacher derrière l'ignorance, mais sache qu'en toi tu contiens tout savoir, toute sagesse, tout entendement; et il s'agit simplement de puiser, à tout moment, dans ces réserves illimitées. Rends grâce éternellement parce que tu connais la vérité et parce que c'est la vérité qui te permet de faire ce qui t'est demandé. Sois parfaitement en paix!

4 OCTOBRE

Comment peux-tu t'attendre à vivre une vie spirituelle profonde si tu n'es pas prêt à faire un effort dans ce sens? Tu ne peux pas vivre à travers l'expérience, les gloires et les triomphes des autres, par l'Unité des autres âmes avec Moi. C'est une chose que tu dois chercher et trouver par toi-même. Commence dès maintenant à penser par toi-même et à te tenir debout sur tes propres jambes, et cesse de t'appuyer sur qui que ce soit. Lorsqu'une personne s'est appuyée sur des béquilles pendant un certain temps et si elle n'a pas le désir de les jeter pour faire l'effort de marcher sans elles, elle traversera la vie en dépendant d'elles et perdra complètement l'usage de ses jambes.

C'est pourquoi il est vital pour toi de te tenir sur tes propres jambes, spirituellement, et de recevoir ton inspiration de l'intérieur et non de l'extérieur. Chacun la recevra de façon différente. Il n'y a pas de modèle tout fait. Trouve ta façon et commence à la vivre dès maintenant.

5 OCTOBRE

Que fais-tu de ta vie? Es-tu content de flotter à la dérive, de faire ce que tu veux, de vivre à ta manière, sans une pensée pour qui que ce soit d'autre que toi-même? Tu es libre de le faire. Beaucoup, beaucoup d'âmes vivent de cette manière et se demandent pourquoi elles sont malheureuses et insatisfaites. C'est uniquement lorsque tu apprendras à t'oublier toi-même et vivras pour les autres que tu trouveras la véritable paix du cœur et le bonheur authentique. JE SUIS là pour te montrer le chemin, mais c'est à toi de le prendre. Personne d'autre ne peut le prendre pour toi; personne d'autre ne peut vivre ta vie pour toi. Apprends à donner et pas seulement à prendre tout le temps. Pourquoi ne pas donner à un niveau et recevoir à un autre? La vie est une chose à double sens: un donner et un recevoir constants. Tu ne peux pas vivre sur toi-même et trouver bonheur et satisfaction réels dans la vie. Vis pour le tout, donne pour le tout et sois le tout.

6 OCTOBRE

Tu peux faire de cette journée tout ce que tu veux. Au moment même où tu te réveilles le matin, tu peux décider quelle sorte de journée elle sera pour toi. Cela peut être le jour le plus merveilleux et le plus inspirant que tu puisses imaginer, mais cela dépend de toi. Tu es libre de faire ton choix. Alors pourquoi ne pas commencer par remercier pour ouvrir ton cœur? Plus tu es reconnaissant et plus tu es ouvert à tous les merveilleux événements que cette journée peut apporter. Amour, louange et gratitude ouvrent toutes grandes les portes et permettent à la lumière d'entrer à flots et de révéler tout ce qu'il y a de meilleur dans la vie.

Sois déterminé à être ultra-positif aujourd'hui, à t'attendre au meilleur et à l'attirer à toi. Aie foi et confiance absolues que tu peux le faire et que tu le feras. Qu'il n'y ait pas de doute sur ta capacité à le faire. Sache simplement qu'avec Moi toute chose est possible et que tu fais tout avec Moi.

7 OCTOBRE

Aspires-tu à faire Ma volonté, où bien as-tu encore peur que le prix puisse en être trop élevé? Souviens-toi que Je demande vraiment tout; par conséquent tu ne peux garder quoi que ce soit. C'est seulement lorsque tout sera donné, et donné librement et avec amour, que tout te sera rendu. Le sacrifice te paraît-t-il trop grand? Quand une chose est donnée par amour, il n'est pas question de sacrifice, mais plutôt de vrai bonheur, de vraie joie et de vrai plaisir. Pourquoi hésiter? Lorsque tout est donné librement et que tu ne possèdes rien, alors tout t'appartient. Tu n'as rien à perdre et tout à gagner, et le monde entier est à tes pieds. Tu sais que tout ce que tu as vient de Moi, la source de tout, et que tout est là pour y puiser quand le besoin se fait sentir. Par conséquent tu peux puiser dans Ma réserve de richesses abondantes qui sont illimitées et qui sont là pour toutes les âmes qui M'aiment et Me mettent au premier plan.

8 OCTOBRE

N'aie qu'un seul regard, et visualise-toi parfait et à Mon image et à Ma ressemblance. Ne te sous-estime jamais ni ne pense au pire pour toi-même. Elève tes pensées et sois très positif à ton sujet. Si tu as fait des erreurs, apprends à te pardonner et puis avance et élève-toi. Je n'ai aucun besoin que tu te châties ni que tu erres, plein d'inquiétude et d'auto-apitoiement. Ne vois-tu pas que, lorsque c'est le cas, tu te fermes à Moi et Je ne peux pas t'utiliser? Reste ouvert; apprends grâce à tes erreurs. Oublie toi complètement pour l'amour et le service de tes semblables. Dès que tu commences à penser aux autres, tu t'oublies toi-même. Le service est un grand guérisseur, un grand restaurateur d'équilibre et de stabilité. Alors trouve ce que tu as de meilleur, ce à quoi tu es bon; et quand tu sais ce que c'est, alors, va de l'avant et donne-le de tout ton cœur. Va toujours de l'avant, jamais en arrière!

9 OCTOBRE

Toute âme aspire au meilleur dans la vie! Le meilleur est là qui t'attend quand tu es prêt à l'accepter. Mais tu dois être désireux de l'accepter de tout cœur, avec une joie réelle et sans aucun sentiment d'en être indigne ou de ne pas être prêt pour lui. Si telle est ton attitude, tu bloques ce qui est ton vrai héritage et il ne peut pas s'écouler vers toi. Par conséquent, veille à ce qu'il n'y ait rien en toi qui le retienne.

J'offre la vie, la vie plus abondante. J'offre la beauté, l'harmonie, la paix, l'amour. Les chemins de l'Esprit t'appartiennent. Suis-les, vis en parfaite harmonie avec mes lois et regarde tout se mettre en place en une totale perfection. Qu'il n'y ait ni tension ni effort en toi! Accepte simplement ce qui t'appartient d'un cœur débordant et reconnaissant, et n'oublie jamais d'exprimer ton amour et ta gratitude pour tout ce qui est déversé sur toi!

10 OCTOBRE

Ce qui est au fond de toi se reflète à l'extérieur. Quand il y aura ordre, harmonie, beauté et paix en toi, cela se reflètera dans tout ce que tu fais, dis et penses. Tandis que s'il y a confusion, désordre et disharmonie en toi, cela ne peut être caché et cela se reflètera dans toute ta vie et ta façon de vivre. Lorsque le changement se produit, il doit venir de l'intérieur et aller vers l'extérieur. De cette manière, il sera durable, et rien ne pourra le déséquilibrer.
Ne t'installe pas confortablement en comptant que ta vie change, mais mets-toi au travail et fais quelque chose en ce sens. Tu peux commencer dès maintenant en travaillant sur ton propre état intérieur. Tu n'as pas à attendre que quelqu'un d'autre change; tu peux effectuer ton propre changement sans plus attendre. Rends grâce constamment de ce qu'il te soit possible de faire quelque chose pour cela sans que rien ne t'arrête. Si quelque chose t'arrête, c'est en toi; tu es donc la personne qui peut y remédier.

11 OCTOBRE

Le fruit de l'Esprit est la joie. Qu'il y ait donc plus de joie dans ta vie, plus d'amusement et plus de rire! Il est tellement important qu'il y ait équilibre et modération en toute chose afin d'apprécier pleinement la vie. Tu peux aimer le travail que tu fais et avoir l'impression que tu n'as pas besoin de changement. Mais, de temps en temps, tu as besoin de rompre avec cela et de faire quelque chose d'entièrement différent pour changer ton rythme de vie.
Tu verras que si tu le fais, tu pourras retourner au travail qu'il faut faire en étant totalement rafraîchi, et tu le pourras avec un élan et un plaisir nouveaux. La vie ne devrait jamais être un fardeau! Tu n'est pas là pour être courbé sous le poids du monde. Tu es là pour tirer le maximum de la vie et en aimer chaque instant, parce que tu as une vie équilibrée, et que tu donnes et reçois constamment.

12 OCTOBRE

Peux-tu réellement aimer lorsque tu es assailli de difficultés et d'épreuves, et que tu as l'impression que tout et tous sont contre toi? C'est assez facile d'aimer quand tout va bien. C'est quand tu te trouves dans la difficulté que tu es enclin à fermer ton cœur et à bloquer le flot d'amour; et pourtant, c'est le moment où le besoin d'amour est encore le plus grand. Lorsque tu peux aimer en dépit de toutes les conditions extérieures, tu peux être sûr que c'est Mon amour divin qui coule en toi et à travers toi, et que cet amour inimaginable vaincra finalement.

L'amour n'abandonne jamais; il essaiera d'une manière puis d'une autre jusqu'à ce qu'il parvienne à son but. L'amour est doux, mais aussi fort et persévérant. Comme l'eau, il se fraie un passage dans le plus dur des cœurs. Alors n'accepte jamais un « non » comme réponse! Aime, continue à aimer, et regarde la voie s'ouvrir!

13 OCTOBRE

Rends éternellement grâce pour tous Mes dons parfaits et bons que JE déverse sur toi. Rends-toi compte que tu as toujours tout ce dont tu as besoin, chaque fois que tu en as besoin.
Je connais tous tes besoins avant même que tu ne les exprimes. Tu es un administrateur de tout ce que Je t'octroie; sois donc un bon administrateur!
N'essaie jamais de posséder quoi que ce soit, mais utilise tout ce que tu as avec une grande sagesse et une grande compréhension. Tu es venu dans ce monde sans rien, et tu en repartiras sans rien. Tout ce que tu as, Je te l'ai donné pour l'utiliser pleinement pendant que tu es sur ce plan terrestre. Pourquoi ne pas jouir de toute chose et remercier pour tout? Mais n'essaie pas de t'y accrocher! Cela t'a été donné librement; librement, donne-le aux âmes autour de toi! Partage tout ce que tu as, et ainsi fais de la place pour que de plus en plus de choses soient attirées à toi. Sache que tous tes besoins sont merveilleusement comblés lorsque tu vis selon Mes lois!

14 OCTOBRE

Pouvoir compter sur quelqu'un est le cœur de la responsabilité. Cela veut dire que tu es toujours à la bonne place au bon moment et que tu fais ce que tu sais qui doit être fait. Tu ne remets jamais à demain ce que tu sais qu'il faut faire aujourd'hui. Quand tu commences quelque chose, tu vas jusqu'au bout, peu importe les résistances que tu rencontres. Tu n'es jamais découragé par les obstacles, mais tu les vois comme des pas en avant et comme des défis à surmonter. Tu es aussi stable qu'un roc car ta sécurité et ta stabilité sont en toi, et tu n'es pas affecté par les conditions extérieures ni le chaos et la confusion qui t'entourent. Quoiqu'il arrive, tu n'es pas en haut un jour et en bas le lendemain. C'est cela être absolument digne de confiance et être quelqu'un sur qui l'on peut compter; c'est être fort et avoir du courage.

Alors que tu endosseras de plus en plus de responsabilités en étant digne de confiance, tu deviendras de plus en plus fort, jusqu'à ce que plus rien ne soit au-dessus de tes forces.

15 OCTOBRE

Vis et travaille, mais n'oublie pas de jouer, de t'amuser et de jouir de la vie. Il faut de l'équilibre en tout. Trop de travail et pas de jeu rend la vie bancale, et te rend terne et inintéressant. Recherche l'équilibre parfait en tout ce que tu fais, et tu verras que la vie est une vraie joie. Il te faut de la variété dans la vie, alors pourquoi ne pas « décrocher » et essayer quelque chose de complètement différent, non pas que ce que tu fais t'ennuie ni parce que tu veux fuir, mais parce que tu te rends compte que tu as besoin de changement?
Quand tu pourras le faire sans aucune culpabilité, tu verras que tu pourras assumer toutes tes tâches dans une nouvelle perspective; et, qui plus est, tu pourras le faire avec un vrai plaisir. Quelle est l'utilité de la vie si tu ne peux pas en jouir et avoir du bon temps dans tout ce que tu entreprends, que tu l'appelles travail ou jeu?

16 OCTOBRE

Etends ton amour et ta compassion à tous. Non seulement aux âmes qui t'aiment, mais aussi à celles qui te détestent et t'utilisent avec mépris. Si tu élèves ta conscience et demeures dans un état élevé, tu pourras tout voir dans une perspective différente et tu t'apercevras que tu n'as aucun ennemi. Donc, n'endurcis pas ton cœur et n'aie pas le désir de rendre le mal pour le mal quand la vie semble contre toi. Sache simplement et accepte que JE SUIS avec toi, que JE te guide et te dirige et que tout est très, très bien. Puis laisse faire et ne vois que le meilleur sortir de chaque situation. C'est lorsque tu veux bien faire cela que tu peux voir Mes merveilles et Ma gloire arriver et que tu peux savoir, sans l'ombre d'un doute, qu'avec tes seules forces, tu ne pourrais pas accomplir de telles merveilles. Par conséquent, élève ton cœur et rend-Moi honneur et gloire.

17 OCTOBRE

Toutes choses font partie du tout parfait; et tout ce que tu fais, dis, penses et ressens en fait partie. Donc, ne te limite d'aucune façon mais sens que tu t'élargis et t'élargis, en assimilant de plus en plus de choses. Tu n'atteindras jamais les limites parce qu'il n'y en a pas. La vie est infinie et tu fais partie de cette infini. Etends sans cesse ta conscience! En toi, où est cet esprit d'aventure qui te permet de sortir, sans peur, dans l'inconnu avec un réel sentiment d'attente et d'excitation?

Te contenter d'avancer jour après jour comme d'habitude ne te mènera nulle part, et tu ne peux pas espérer grandir spirituellement ainsi. Tu dois vouloir aller de l'avant, et lorsque tu prendras ta propre décision de le faire, alors tu recevras de l'aide de tous côtés. Alors ne perds pas de temps à traîner, mais fais le premier pas en avant et vois se produire miracle sur miracle dans ta vie!

18 OCTOBRE

JE SUIS ton refuge et ta force, une aide très présente dans les moments de détresse et de difficulté. Apprends à M'invoquer, à t'appuyer sur Moi, à puiser en Moi, à mettre toute ta foi et ta confiance en Moi, et, si tu le fais, chaque difficulté et problème se dissoudra complètement. Il existe une réponse parfaite à chaque problème. Cherche-la et tu la trouveras. Ne perds pas de temps à te complaire dans tes problèmes et dans l'auto-apitoiement, mais élève-toi au-dessus d'eux!

Rends grâce de ce que la réponse est là, tout près, quand tu élargis ta conscience et quand tu as foi qu'effectivement, elle est là, prête à être mise en œuvre quand tu pourras calmer ton esprit.

« Sois transformé par le renouvellement de ton mental ». Tu peux résoudre chaque problème par le seul fait de savoir que la réponse est là quand tu te calmes et que tu prends du temps pour la chercher et la trouver. Cesse de tourner en rond, en vain. Invoque-Moi!

19 OCTOBRE

Si tu as perdu ton chemin, la méthode la plus rapide et la plus simple pour le retrouver est, encore une fois, de te calmer et, dans la paix et la tranquillité, de rechercher ta direction.
As-tu le désir de prendre du temps pour être tranquille et pour rechercher en toi, ou penses-tu que c'est une perte de temps et qu'il te faut avancer et faire tout ce qui doit être fait?
Toute âme a besoin de direction, car sans elle, tu peux vraiment te perdre complètement dans la confusion de la vie. Alors pourquoi ne pas passer un court instant, chaque jour, seul avec Moi, pour déterminer où tu vas? Si tu apprends à le faire, tu trouveras le profond besoin intérieur de cette communion et tu aspireras à passer de plus en plus de temps avec Moi dans cet état de conscience. Donc, reste en alerte et réponds à ces profonds désirs en toi; ne les repousse jamais impatiemment, en pensant qu'il n'y a pas de temps. Je te le dis, il y a du temps pour tout!

20 OCTOBRE

Ne fais-tu pas partie du tout? Alors pourquoi t'en séparer en vivant une vie désordonnée, chaotique? En te remplissant l'esprit de belles pensées, en disant de belles paroles et en accomplissant de belles choses, tu deviens un avec le Tout merveilleux qu'est Mon univers, et tout se met en place parfaitement. De même que chaque personne cherchera et trouvera cette paix et harmonie intérieures, de même la paix et l'harmonie règneront dans le monde. Il faut que cela commence quelque part, alors pourquoi pas en toi?
Prends conscience qu'en jouant ton rôle, tu peux aider a apporter la paix et l'harmonie dans le monde. C'est chaque minuscule goutte d'eau qui fait le puissant océan et chaque minuscule grain de sable qui fait la plage. Par conséquent, chaque personne en paix intérieurement peut apporter la paix dans le monde. Alors pourquoi ne pas faire ta part maintenant? Elève ton cœur et remercie éternellement parce que tu sais que tu as un rôle à jouer, et puis va, et joue-le!

21 OCTOBRE

Élargis ta conscience et sache que JE SUIS tout ce qui existe.

Puis continue encore et encore à l'élargir, et vois que tout est inclus dans le JE SUIS. Sens-toi grandir, briser tous les liens qui t'ont retenu et ont étouffé ta croissance et ton expansion. Exactement comme une minuscule graine plantée dans la terre fissure la peau qui la recouvre et commence à grandir et à se développer en ce qu'elle est réellement, de même laisse ton vrai moi croître et s'épanouir jusqu'à ce que tu deviennes ce que tu es réellement; et contemple la merveille de tout cela! Tout en faisant cela, sache que tu es un avec toute vie, maintenant et pour toujours, que jamais plus tu ne pourras en être séparé, que JE SUIS en toi et que tu es dans le JE SUIS.

Tu pourras faire toute chose et tu sauras qu'il n'y a absolument rien d'impossible, car c'est le JE SUIS qui travaille en toi et à travers toi. Quand JE SUIS reconnu et accepté, tout est possible.

22 OCTOBRE

Arrête un instant ce que tu es en train de faire, et vois ce que tu mets en premier. Est-ce le travail? Est-ce vivre? Est-ce ce que tu veux? Tes désirs? Recherche d'abord Mon royaume. Etablis le contact direct avec Moi et tout le reste te sera donné en plus. Ne vois-tu pas que ta communion avec Moi signifie bien plus que toute autre chose, car c'est de ce contact que tout le reste est issu. Fais ta part et mets les choses essentielles en premier!

Tu ne peux pas puiser de l'eau dans un puits si tu ne vas pas chercher un seau, le laisses descendre dedans, le remplis d'eau et puis le remontes. Tu dois faire quelque chose; tu dois faire un effort et jouer ton rôle. Rester en haut du puits à regarder l'eau ne la fera monter. Il en est de même pour la vie spirituelle: tourner autour et observer les autres alors qu'ils trouvent leur Unité avec Moi ne le fera pas pour toi. Chaque âme doit faire sa propre recherche et sa propre découverte intérieures.

23 OCTOBRE

Si tu te trouves dans une situation difficile à accepter et à aimer, tu peux toujours y faire quelque chose, si tu le veux; car si tu entres dans le silence et Me recherches, J'éclairerai chaque situation à la lumière de la vérité. Je te révèlerai pourquoi tu es où tu es, et pourquoi tu fais ce que tu fais. Tu peux être sûr qu'il y a une très bonne raison à cela et qu'il y a des leçons d'importance vitale à apprendre.

Tant que tu ne changeras pas ton attitude et n'apprendras pas à aimer le lieu où tu es, ton entourage et ce que tu fais, tu devras demeurer dans cette situation. Dès que ces leçons auront été apprises et que tu aimeras réellement ce que tu fais et le feras de tout ton cœur pour Moi et Ma cause, alors tu passeras à quelque chose d'autre. Regarde l'amour ouvrir toutes les portes pour toi!

24 OCTOBRE

Ce n'est pas parce que quelque chose était juste et correcte hier qu'elle l'est aujourd'hui. C'est pourquoi tu dois vivre un jour à la fois, et vivre pleinement dans le merveilleux éternel présent; car lorsqu'il te sera possible de le faire sans réserves ni idées préconçues, tu pourras accepter le changement sans résistance et la vie coulera avec aisance et douceur.

C'est beaucoup plus facile à dire qu'à faire, spécialement lorsque tu as senti que tout allait bien et que tu as enfoncé profondément tes racines, te sentant en sécurité dans ta situation présente. Que ta sécurité soit en Moi et jamais dans une situation, un plan, une personne ou une chose; car ce qui est là aujourd'hui peut avoir disparu demain. Mais JE SUIS là de toute éternité. Donc, recherche-Moi, trouve-Moi, et ne crains rien. Laisse les changements survenir, sache simplement que chacun d'eux sera pour le meilleur et qu'il est nécessaire pour la croissance et l'expansion du tout.

25 OCTOBRE

Plus tes aspirations et tes buts sont élevés, mieux c'est. Ne te limite jamais d'aucune façon. Sache simplement que tu peux accomplir tout ce que tu décides de faire parce que tu puises aide et force en Moi, et qu'il n'existe rien de tel que la défaite ou l'échec. Tout ce qui porte Mon sceau est destiné à réussir, et seuls les résultats les plus élevés peuvent en sortir. Par conséquent garde ta conscience élevée, harmonise-toi avec toute vie et contemple les résultats les plus merveilleux!

Tu ne peux pas compter sur ces résultats si tu n'es pas en accord avec le meilleur de toi, si tu ne peux pas te laisser porter librement avec tout ce qui se passe et traverser tout ce qui pourrait t'arrêter. Il y a beaucoup de choses dans la vie qui pourraient t'empêcher d'atteindre ton but. Ecarte-les toutes et refuse de voir l'échec comme possible, ne serait-ce qu'une seconde. Sache simplement que tu peux réussir et que tu réussiras; et tu obtiendras la réussite dans tout ce que tu entreprends!

26 OCTOBRE

Il n'y a pas un chemin qui est juste et tous les autres qui sont faux. Les montagnards doivent faire le choix entre grimper tout droit au sommet par la voie directe, ou trouver un chemin plus facile à suivre. Cela dépend d'eux. Tu décides de ce qui est le bon chemin spirituel pour toi et puis tu le suis de tout ton cœur.

Il y a des âmes qui sont des chercheuses et qui n'ont pas encore trouvé leur chemin spécifique dans cette vie. Elles essaieront un chemin après l'autre et le suivront sur une certaine distance, puis elles se rendront compte qu'il n'est pas pour elles et puis recommenceront sur un autre chemin. Elles continueront ainsi jusqu'à ce qu'elles aient trouvé le bon. Elles le trouveront si elles cherchent avec assiduité et n'abandonnent jamais leur recherche. Si tu as trouvé ton chemin juste, va toujours de l'avant et ne perds pas de temps à regarder en arrière ou à critiquer les âmes qui cherchent encore.

27 OCTOBRE

Un nouveau concept est comme une graine plantée dans la chaleur de ta maison. La graine ne peut être retirée directement de cette atmosphère tant qu'elle n'est pas assez forte pour être plantée là où elle doit résister aux éléments extérieurs.
Il en est de même avec un nouveau concept: il ne peut être sorti comme un lapin d'un chapeau par un prestidigitateur. Lui donner substance et forme prend du temps. Il doit être testé sur un petit nombre avant de pouvoir être donné à tous.
Cela demande un grand amour et une grande patience; cela demande de la consécration et du dévouement. Ce processus est ce qui se passe en ce moment avec le Nouvel Age. C'est tout neuf. Beaucoup de nouvelles idées et de nouveaux concepts sont en train de naître, et chacun doit être testé, compris, aimé et chéri. Si tu es un pionnier du Nouvel Age, tu dois être prêt à aller de l'avant sans peur et être prêt à essayer le plus neuf du neuf.

28 OCTOBRE

Tout progresse et s'améliore avec la pratique. Plus tu apprends à vivre une vraie vie, plus elle devient une partie de toi, et plus tu peux vivre, vibrer et avoir ton essence en elle. Tu ne peux pas stagner, alors accepte de grandir et de t'épanouir librement et joyeusement. Romps les liens qui t'ont gardé confiné dans le passé. Elève-toi au-dessus de toutes les peurs qui t'ont empêché de t'épanouir et t'ont gardé les yeux bandés, de sorte que tu as été incapable de voir clairement la glorieuse vision qui est devant toi.

Démontre ce que la foi veut dire pour toi et attends-toi à ce que ce qui semble impossible devienne possible. Fais descendre Mon royaume sur Terre, et apprends à faire Ma volonté et à marcher dans Mon chemin. Peu importe si ces premiers pas sont faibles et hésitants, il faut qu'ils soient faits. Peu importe combien de fois tu tombes. Relève-toi simplement et essaie encore et encore.

29 OCTOBRE

Recherche toujours le meilleur, attends-toi toujours au mieux et, jamais, à aucun moment, ne te satisfais de ce qui serait moins bon. Ce peut être difficile pour toi, spécialement dans les moments où tu penses que tu touches le fond. Dans ces moments là, il te faut élever ta conscience, et ne jamais, ne serait-ce qu'une seconde, penser au manque, mais penser à l'abondance. Vois l'abondance et rends grâce pour Mes ressources infinies et illimitées.
Pourquoi te satisfais-tu du deuxième choix, quand le meilleur attend que tu le choisisses, attend de te bénir? Lorsque tu pourras penser grand, toute ta vie et toute ta façon de vivre s'épanouiront en toi et autour de toi. Souviens-toi, tout commence de l'intérieur et tout commence avec toi. Commence dès maintenant à réajuster ta façon de penser. Réoriente-toi de l'intérieur, et laisse cela travailler graduellement en toi comme le levain dans la pâte. Ne manque jamais de reconnaître Ma main en tout, ni de remercier constamment. Ne prends rien comme un dû, mais vois combien tu es béni!

30 OCTOBRE

Apprends à donner librement tout ce que tu as. Apprends aussi à recevoir gracieusement tout ce qui t'est donné, et utilise-le sagement pour l'épanouissement et l'amélioration du tout. Quand tu donnes, donne librement et ne compte pas le prix! Ce qui est donné dans le bon esprit, de tout cœur et dans l'amour le plus pur, apportera grande joie et grandes bénédictions à tous, se multipliera et grandira. Souviens-toi toujours: qu'il n'y ait pas de réserve à ce que tu donnes. Donne et puis oublie.

Quand tu fais un travail, fais-le avec amour et sois reconnaissant d'avoir le don et la capacité de le faire. Fais-le parfaitement, et ne le fais jamais pour ce que tu peux en retirer. Lorsque tu pourras apprendre à faire tout en Mon honneur et pour Ma gloire, alors tu auras appris l'art de donner vraiment. Tu trouveras la plus grande joie dans tout ce que tu donnes, et toute ton attitude et ta façon de voir seront justes.

31 OCTOBRE

La foi veut dire plus que s'installer confortablement et tout laisser entre Mes mains. Tu as ton rôle à jouer, car « il te sera donné selon ta foi ». Si toute ta foi et ta confiance sont en Moi, alors tout est possible. Vis par la foi et démontre Mes lois aux yeux de toutes les âmes. Faisons un dans le travail, un dans la vie, soyons un! Moi en toi et toi en Moi. Lorsque que tu comprends pleinement que Je peux tout faire, alors tu sais que tu peux tout faire, car JE travaille en toi et à travers toi. Rien ne se fera à moins que tu n'acceptes de te mettre en route. JE SUIS en toi et tu es Mes mains et Mes pieds. Consacre ces mains et ces pieds à Moi et à Mon service, afin qu'il n'y ait rien pour arrêter le travail et que tout se passe bien. Veille à travailler en harmonie et en rythme parfaits avec Mes lois, et vois se produire merveille sur merveille! Et rends grâce éternellement pour tout!

NOVEMBRE

On me montra la Terre ressemblant à un damier,
peint de gros carreaux noirs et blancs.
Comme il pleuvait, la peinture noire coulait
dans le blanc, et le tout devint d'un gris sale.
Puis une pluie encore plus forte se mit à tomber,
et l'ensemble se transforma en un blanc
des plus purs.
J'entendis les mots:

Aie foi! Tiens bon et sache que toute la Terre
et tout ce qu'elle porte est en train de traverser
un énorme processus de nettoyage. Tout est très,
très bien, car tout se passe selon Mon plan.
Sois parfaitement en paix!

1er NOVEMBRE

Il n'y a ni effort ni tension dans la nature! Une graine évolue à travers son cycle tout entier; elle n'a pas à faire quoi que ce soit; elle a juste à laisser ce cycle se faire. Tout ce que tu as à faire est de permettre que tout se fasse. Pourquoi ne pas te laisser te transformer en un magnifique papillon? Sors de cette chrysalide, de cet espace confiné, des restrictions de ton mental et de tes idées de mortel!

Quand un serpent change de peau, il se tortille lentement hors de l'ancienne et la laisse derrière lui se dessécher et se désintégrer. En grandissant et s'élargissant, un crabe déborde de sa carapace et en fait pousser une plus grande et plus belle. Un oiseau brise sa coquille et en émerge complètement transformé. Il est libre, libre, libre! C'est ce qui t'attend. Une nouvelle liberté, une nouvelle joie, tout un monde nouveau attend de s'ouvrir à toi quand tu voudras bien abandonner ces anciennes façons, pensées et idées restrictives, et accepter d'être transformé.

2 NOVEMBRE

Quand on commence à t'enseigner à faire quelque chose, que ce soit conduire une voiture, apprendre à nager ou à jouer d'un instrument de musique, tu es très attentif à chaque mouvement, chaque action que tu fais. Tu les corriges et continues à essayer jusqu'à ce que tu l'aies maîtrisé, quel qu'il soit.

Puis tu te rends compte que tu n'as plus à penser à chaque mouvement; tu le fais automatiquement; tu te laisses porter et y prends plaisir parce que ce n'est plus un effort. Il en est de même avec cette vie spirituelle. Lorsqu'elle commence à faire partie de toi, tu n'as pas besoin que l'on te le rappelle pour que tu Me connaisses consciemment, Moi et Ma divine présence, parce que tu en es conscient. Tu n'as plus à t'harmoniser avec Moi car tu es accordé. C'est tout aussi naturel pour toi que de respirer. Dans cet état tu sais que JE SUIS en toi, que tu es en Moi, et que nous sommes un.

3 NOVEMBRE

Commence ce jour avec un cœur débordant d'amour, de joie et d'action de grâce, transporté par la joie d'être en vie, de faire ce que tu fais, d'être où tu es; et vois émerger la perfection de cette journée! Bénies sont les âmes qui peuvent voir la beauté, la joie et l'harmonie tout autour d'elles et les apprécier pleinement, et les âmes qui Me reconnaissent en tout et en tous et rendent grâce pour tout!
La joie est comme un pierre jetée au milieu d'une flaque d'eau; les vaguelettes s'élargissent et s'élargissent jusqu'aux bords de la flaque et puis retournent au centre, apportant la joie à tout ce qu'elles touchent sur leur chemin. L'amour est comme un baume guérissant toutes blessures, toutes souffrances, tous chagrins. Alors aime de Mon amour divin! Aime celui que l'on peut aimer et celui qui, en apparence, n'est pas aimable. Aime les âmes qui ne connaissent pas la signification de l'amour. Aime ceux que tu appelles tes ennemis. Lorsque ton cœur sera rempli d'amour, tu ne connaitras pas d'ennemi. L'amour est le fondement de cette vie spirituelle.

4 NOVEMBRE

Garde les yeux ouverts et reste toujours en alerte. Vois Ma main en tout et rends grâce éternellement. Si tu n'es pas attentif, tu peux si facilement manquer ce qui est juste en face de toi, ou même en toi. Beaucoup d'âmes traversent la vie en étant aveugles aux merveilles tout autour d'elles, aveugles aux miracles de la nature, ratant ainsi les miracles de la vie. Lorsque tu seras attentif à la beauté, à l'harmonie, à la paix et à la sérénité dans les petites choses autour de toi, tu verras cette conscience grandir jusqu'à ce que toute la vie devienne un pays de merveilles et que tu traverses la vie comme un enfant, les yeux grands ouverts à tout ce qui se passe. Tu t'attendras à ce que les évènements les plus splendides se produisent, et par conséquent tu les aideras à se manifester. Il n'y aura jamais un moment ennuyeux dans ta vie. Tu ne prendras rien comme un dû, mais tu remercieras pour tout. La gratitude maintient la porte grande ouverte pour qu'entrent dans ta vie de plus en plus de merveilles; alors n'oublie jamais, jamais, de remercier!

5 NOVEMBRE

Accepte de faire un avec toute vie! Accepte de faire un avec Moi! Ne t'y dérobe pas timidement, parce que tu ressens que tu n'es pas digne d'accepter notre Unité. Ce sentiment d'indignité est ce qui sépare les individus de Moi, leur créateur. Pendant trop longtemps on a dit aux gens qu'ils étaient des misérables pécheurs et qu'ils n'étaient pas dignes de marcher et de parler avec Moi.

Pendant trop longtemps ils se sont séparés de Moi jusqu'à ne plus Me connaitre, ne plus s'apercevoir que JE SUIS en eux. Bannis pour toujours tous ces faux concepts de Moi. JE SUIS amour. JE SUIS en toi. Accepte avec joie et émerveillement notre Unité. Accepte-la comme un tout petit enfant et ne perds pas temps et énergie à la comprendre avec ta tête. Si tu essaies d'approcher cette vie intellectuellement, tu perds beaucoup de temps et manques d'en voir la simplicité. Mes chemins sont simples; cesse de te les rendre compliqués!

6 NOVEMBRE

Cette époque n'est pas ordinaire. Contemple le déploiement de mon plan vaste et splendide! Voici le temps des changements les plus merveilleux; sois donc préparé à n'importe quoi à tout moment. Il n'y a rien d'accidentel ni d'hasardeux dans ces rassemblements d'âmes qui se font en ce moment en vue de l'énorme travail à venir. Il y a un plan très défini qui est en train de se déployer; déploie-toi avec lui! Ne crains rien, bannis toute peur. Reconnais Ma main en toute chose; vois la perfection de tout cela et rends-en grâce éternellement! Sois prêt et aie la volonté d'accepter tes responsabilités. Cette vie n'est pas pour les tire-au-flancs ou les âmes qui ont peur des responsabilités. Le Nouvel Age demande force, courage et dévouement, ainsi qu'une foi et une croyance dures comme du roc. C'est une merveilleuse aventure, et donc l'esprit d'aventure est exigé pour s'y lancer et en faire partie. Avance avec tout ce qui arrive, tranquillement et paisiblement, sans aucune tension, car tout est très, très bien.

7 NOVEMBRE

As-tu trouvé comment tu peux contribuer au tout? Peux-tu sentir que tu t'y fonds, ou sens-tu que tu restes à l'extérieur en spectateur, te demandant où est ta place? Pourquoi ne pas y aller directement et, du coup, trouver cette place spéciale plus rapidement? Une fois que tu sentiras que tu fais partie de ce tout, tu voudras donner le meilleur de toi-même. Je compare ce processus à une horloge avec toutes ses nombreuses pièces. Chaque pièce est nécessaire pour que l'horloge donne l'heure exacte. C'est lorsque chaque pièce est à sa place, accomplissant son rôle spécifique, qu'on obtient l'heure précise.

Tout âme aspire à être désirée, et qu'on ait besoin d'elle. Quand tu sens qu'on a besoin de toi, tu commences à grandir, à fleurir, à prospérer et à donner le meilleur de toi-même. Souviens-toi toujours que J'ai besoin de toi. Offre-toi à nouveau à Moi chaque jour, afin que JE puisse t'utiliser comme JE le désire. Et grandis en force et en stature!

8 NOVEMBRE

Pourquoi accepter des limitations dans ta vie? Sens-toi grandir en conscience jour après jour. Attends-toi à ce que le nouveau se déploie en toi et devant toi, et s'il te faut changer, aie la volonté de le faire sans hésitation! Lorsque tu veux changer de programme à la radio, tu dois tourner le bouton jusqu'à trouver la nouvelle station. Puis, tu dois affiner la mise au point jusqu'à ce que la réception soit claire et qu'il n'y ait aucune distortion pour gâcher le programme. Quand ton désir de sortir de l'ancien sera suffisamment fort, tu remueras ciel et terre jusqu'à ce que tu aies fait ce pas. Tu tourneras chaque bouton jusqu'à ce que tu aies capté le nouveau et que tu puisses le recevoir haut et clair. Une fois cette claire réception acquise, il te faut être tranquille et écouter; et quand tu as intégré ce qui est transmis, tu dois alors te mettre en action et en faire quelque chose. Pourquoi attendre un jour de plus? Branche-toi maintenant!

9 NOVEMBRE

Que ta foi soit forte et inébranlable! La foi doit être vécue et démontrée, il ne suffit pas d'en parler. Elle s'affermit de plus en plus quand elle est utilisée constamment. Ce n'est pas quelque chose qu'on doit retirer d'une étagère de temps en temps, utiliser et puis remettre en place jusqu'à la prochaine fois. En apprenant à vivre par la foi, tu apprendras à Me voir en chacun et dans tout ce qui se fait, et tu prendras conscience qu'il n'y a nul endroit où JE ne SUIS pas.

La foi est la conscience selon laquelle le meilleur de la vie naît de l'intérieur. Lorsque tu réaliseras que tu contiens tout en toi, tu cesseras cette éternelle recherche. Tu cesseras de te débattre et de lutter pour atteindre l'impossible, et, tranquille et confiant, tu trouveras cette réserve débordant de trésors innombrables. C'est maintenant qu'il faut vivre par la foi, pas demain ou lorsque tu te sentiras plus fort et que tu auras plus de confiance! Mets-cela en pratique dès maintenant et vois comme cela marche merveilleusement!

10 NOVEMBRE

Jour après jour tu te rends compte de nouveaux changements en toi et au dehors de toi. Tu te surprends à assimiler de nouvelles idées et de nouvelles façons de voir et d'être. Ta conscience s'épanouit et s'avère capable d'accepter de plus en plus de choses. Certaines personnes apprennent plus vite que d'autres; par conséquent, entrer dans le Nouvel Age ne sera pas la même chose pour tous. Certaines âmes seront capables d'y bondir. D'autres y entreront doucement, testant chaque pas en chemin. D'autres y ramperont et trouveront chaque pas douloureux parce qu'elles résistent aux changements. Elles sont irritées par ces nouvelles façons et ces nouvelles idées et aspirent à ce qu'on les laisse vivre de leur manière habituelle, en pensant que ce qui était assez bon pour leurs parents est aussi bon pour eux. La réponse à cette attitude est de cesser de lutter contre elle et de s'harmoniser et se laisser porter par la vie. Les temps changent et changent vite, et si tu ne changes pas avec eux, tu seras laissé pour compte.

11 NOVEMBRE

Tout ce dont tu as besoin, tu l'as en toi, qui attend d'être reconnu, développé et qui attend de sortir. Un gland contient en lui un chêne puissant. Tu contiens en toi un énorme potentiel. Exactement comme le gland doit être planté et soigné pour qu'il puisse grandir et devenir ce chêne puissant, ce qui est en toi doit être reconnu avant de pouvoir émerger et être utilisé pleinement. Sinon, cela reste dormant en toi. Ce qui arrive à beaucoup d'âmes est que cet énorme potentiel ne se développe jamais dans cette vie et est souvent transporté d'une vie à une autre. Ce processus est complètement inutile.

C'est maintenant le moment de faire émerger et d'utiliser tout ce que tu as en toi. Sache que tu peux faire toute chose parce que JE SUIS là, renforçant et guidant chacun de tes mouvements et chacune de tes décisions, jusqu'à ce que, comme ce gland, tu aies fait éclater tes limites et sois libre de croître en un chêne puissant.

12 NOVEMBRE

Ne perds jamais de temps à te dire que tu as un très long chemin à parcourir dans cette vie spirituelle. Prends plutôt courage et force en réalisant combien de chemin tu as parcouru, et rends grâce éternellement pour cela. Rends-toi compte de tout ce pour quoi tu dois être reconnaissant. Environne-toi de belles pensées, de belles choses, de belles personnes. Vois la lumière de la vérité briller en tout et en tous. Fais briller ta lumière avec force du fond de toi. Sache que rien d'extérieur ne peut l'éteindre et que seule ta négativité peut le faire. Donc, reste tout le temps positif. Choisis toujours le chemin de la lumière et ignore l'obscurité, et de ce fait ne lui donne aucune force.

Il y a de plus en plus besoin de lumière parce que, dans le monde, la faim de nourriture spirituelle devient plus grande; alors fais sans cesse rayonner ta lumière. Sois lumière et laisse-la irradier de toi, repoussant les ténèbres. Sois amour et laisse l'amour couler librement de toi; et aide ainsi à répondre à l'énorme besoin dans le monde.

13 NOVEMBRE

Si tu t'attends au meilleur dans la vie, tu l'attires à toi; alors commence dès maintenant à t'attendre au meilleur en tout et en tous, et regarde le meilleur arriver. Attends-toi à ce que tous tes besoins soient comblés. Attends-toi à avoir la réponse à chaque problème. Attends-toi à l'abondance à tous les niveaux. Attends-toi à grandir spirituellement! N'accepte aucune limitation dans ta vie; sache simplement et accepte que tous Mes dons parfaits et bons t'appartiennent si tu apprends à ajuster tes valeurs si tu mets les choses essentielles en premier dans ta vie. Attends-toi à grandir en stature et en beauté, en sagesse et en compréhension. Attends-toi à être utilisé comme canal pour que Mon amour divin et Ma lumière divine coulent en lui et à travers lui. Accepte que Je puisse t'utiliser pour Mon travail. Fais tout dans la foi et la confiance absolues, et vois venir avec gratitude Mes merveilles et Ma gloire, non pas juste une fois de temps en temps, mais tout le temps, afin que ta vie entière soit réellement un chant de joie et de grâce.

14 NOVEMBRE

Combien de fois t'ai-je dit que J'ai besoin de toi libre, pour faire tout ce qui doit être fait? Quand apprendras-tu à lâcher prise et à être libre? Tu ne connaîtras jamais la signification de la liberté tant que tu n'auras pas la volonté de lâcher prise, d'avoir confiance que tu peux le faire et de faire les quelques premiers pas difficiles. Toi seul peux le faire; personne ne peut le faire pour toi.

As-tu peur de ce qui peut arriver, peur de ce que l'avenir te réserve? Où sont ta foi et ta confiance? Pourquoi ne pas apprendre à vivre pleinement et glorieusement dans l'éternel présent, et à Me laisser M'occuper de ton avenir? J'ai des choses merveilleuses qui t'attendent dès que tu seras libre et cesseras de te cramponner à ce que tu as déjà parce que tu as peur de tout perdre. Aie le dèsir de tout perdre pour gagner quelque chose de beaucoup, beaucoup plus grand. Tout est entre Mes mains, et tout est très, très bien.

15 NOVEMBRE

La vie est simple. Pourquoi te la rendre compliquée? Pourquoi choisir le chemin détourné quand le chemin direct est en face de toi? Laisse la vie se déployer pour toi, sans essayer de forcer son déploiement. Tu ne peux pas forcer l'ouverture d'une fleur, car tu en détruirais la beauté et la perfection par ton impatience. Il y a un juste moment pour tout, alors pourquoi ne pas te mettre en accord avec la vie, te laisser porter par elle et contempler avec gratitude Mes merveilles et Ma gloire se déployer en une vraie perfection?
Lorsque quelque chose est fait au mauvais moment, cela arrête beaucoup de choses au lieu de les accélerer comme on pourrait l'imaginer. Par conséquent sers Moi avec tranquillité et confiance, et n'essaie jamais de te précipiter pour faire quelque chose au mauvais moment. En même temps, ne traîne jamais les pieds, perdant ainsi un temps précieux. Prends conscience qu'il y a un dessein et un plan splendide dans tout ce que tu fais, et rends grâce éternellement.

16 NOVEMBRE

La première leçon à apprendre dans la vie est d'aimer. L'amour est si fort qu'il ne peut être brisé, et pourtant il est intangible. Tu peux le connaître; tu peux le sentir; et pourtant tu ne peux pas le retenir, car au moindre essai, il t'échapperais comme du mercure. L'amour ne peut être possédé; il est libre comme le vent, et il va où il veut. Suis le! L'amour est unité et globalité. L'amour ne connaît aucune limitation, aucune barrière. Avec l'amour vient la liberté. C'est la peur qui enchaîne et limite une âme; c'est l'amour qui rend libre et rompt toutes les chaînes. L'amour ouvre toutes les portes, change les vies et fait fondre le plus dur des cœurs. L'amour est créatif; il grandit, et engendre beauté, harmonie et unité.
Il travaille pour, non contre, quoi que ce soit. L'amour apporte une telle joie qu'il ne peut pas être réprimé. Il danse et chante à travers la vie. Y a-t-il de l'amour dans ton cœur? De l'amour pour chacun? Il commence en toi et gagne de proche en proche.

17 NOVEMBRE

Sens-tu que tu fais partie du nouveau? Sens-tu que tu te fonds dans le tout en parfaite harmonie, ou te sens-tu gêné et mal à l'aise? Si tel est le cas, il est beaucoup mieux d'en sortir et de trouver un autre chemin. Seules les âmes qui sont en harmonie avec le nouveau, qui veulent bien laisser tout l'ancien derrière sans regret et qui ont l'esprit d'aventure, sont prêtes pour le nouveau et seront capables d'y entrer librement. Si tu veux encore t'accrocher aux anciennes manières et idées orthodoxes et conventionnelles, effrayé de casser les vieux moules, alors tu n'es pas prêt pour le nouveau.
Cela demande courage, force, détermination et la profonde connaissance intérieure que ce que tu fais est juste. Quand tu auras mis ta foi et ta confiance en Moi et que tu sauras que JE te guide et te dirige, tu pourras faire tout ce qui doit l'être avec le plus profond amour et la plus profonde joie.

18 NOVEMBRE

Utilise tout ce que tu as pour le bénéfice du tout! N'essaye pas d'accumuler ou d'amasser, mais partage; car plus tu partages, plus cela grandira; tandis que si tu essaies de garder et de posséder quelque chose ou quelqu'un, tu le perdras sûrement. C'est la loi, et si tu la vis, tu la verras s'accomplir tout autour de toi.

Si tu as des paquets de graines et que tu les ranges dans un placard et les oublies, rien ne leur arrivera, et elles resteront là. Mais si tu les prends, si tu les plantes dans le sol et les soignes, non seulement elles vont pousser, mais elles s'accumuleront et produiront de plus en plus. Il en est de même avec tout ce que tu as: n'essaie jamais de t'y agripper, mais partage-le avec plaisir, et regarde-le grandir en quantité et qualité. Si ton attitude est juste, tu sais que tous tes besoins sont merveilleusement comblés, et que tout ce que J'ai t'appartient.

19 NOVEMBRE

Tu n'as pas besoin d'essayer de mener les choses à bien par toi-même dans la vie, ni d'essayer de tirer les ficelles. Tout ce que tu as à faire est de suivre, très tranquillement et avec grande confiance, Mes instructions que tu recevras dans le silence et le calme. Certaines âmes entendront Ma voix distinctement; d'autres agiront intuitivement; d'autres encore seront guidées dans l'action.

Je travaille de beaucoup de manières, mais tout le monde saura quand JE SUIS aux commandes, car le sceau de l'amour et de la vérité marquera tout. Si Mes instructions sont suivies, tu verras s'accomplir merveille sur merveille et tu verras Ma main en toute chose. Tu comprendras que, de toi-même, tu ne pourrais pas faire advenir ces merveilles et que c'est MOI qui, en réalité, travaille en toi, et tu Me rendras honneur, gloire et grâce éternels. Reconnais, à tout moment, d'où viennent ta sagesse, ton amour et ton entendement, d'où vient la vie elle-même. JE SUIS le Tout du Tout, et ta vie est cachée en Moi. Nous sommes un.

20 NOVEMBRE

« Sois en paix et repose-toi dans Mon amour! » Tu as souvent entendu ces mots, et tu te demandes pourquoi ils doivent être répétés. Ils sont comme l'eau: très doucement et très silencieusement ils usent l'ancien et trouvent un nouveau chemin. Ils continuent encore et encore, s'enfonçant graduellement plus profondément en toi jusqu'à ce que tu les voies comme une partie de toi. Ils ne sont plus seulement des mots, mais vivent et vibrent; ils ont leur essence en toi, et tu te surprends à les vivre et à reposer dans Mon amour en une paix parfaite.

Ne t'irrites jamais contre la répétition, mais sois éternellement reconnaissant que Mon amour soit si grand que J'aie le désir de continuer patiemment et avec persistence et que jamais Je ne t'abandonnerai. J'ai étendu Ma main sur toi, et J'ai besoin de toi. Tu as une place très spéciale dans Mon vaste plan, et J'attends de te la révéler quand tu seras prêt.

21 NOVEMBRE

Tu ne sauras jamais si quelque chose marche ou non si tu n'essaies pas. Tu ne sauras jamais s'il y a de l'électricité si tu n'appuies pas sur le bouton pour allumer. Tu dois faire quelque chose pour prouver que cela marche. Il en est de même avec la foi. Il ne sert à rien de rester assis à en parler si tu ne la vis pas et si personne ne peut voir ce que cela signifie pour toi. Il ne sert à rien de parler de vivre sa foi lorsque ta sécurité est dans ton compte en banque, et que tu sais que tu peux y puiser à loisir.
C'est lorsque tu n'as rien et que tu peux te jeter à l'eau et faire ce qui est apparemment impossible parce que ta foi et ta sécurité sont enracinées et fondées en Moi, que tu peux parler de vivre ta foi et en être une vivante démonstration. Va de l'avant, mets ta foi à l'épreuve et vois ce qui arrive!

22 NOVEMBRE

Vois toujours le bon côté de la vie! Attends-toi seulement au meilleur, et vois-le advenir! Ne t'en prends jamais à quelqu'un d'autre pour l'état négatif dans lequel tu te trouves. Tu es ton propre maître; il ne dépend que de toi de retourner le tableau et de voir ce qu'il y a de l'autre côté. Si tu choisis de voir le côté sombre de la vie, ne t'attends pas à attirer à toi les âmes qui connaissent la joie de la vraie liberté, car qui se ressemble s'assemble. Tu n'attireras à toi que les âmes qui sont dans le même état. Lorsque tu seras en pleine forme et que l'amour coulera de toi librement, tu attireras tout à toi, car tout le monde apprécie une âme joyeuse.

Apprends à élever une personne ou une situation, et ne te laisse jamais engloutir dans les profondeurs du désespoir par l'attitude de quelqu'un d'autre. Tu es ici pour créer la paix, l'harmonie, la beauté et la perfection, et le meilleur de la vie, alors vas-y et fais quelque chose dans ce sens!

23 NOVEMBRE

Quand JE te dis: « Aimez-vous les uns les autres », cela ne veut pas dire qu'il faut tolérer les autres, ni essayer très fort de les aimer. Mais tu verras que, lorsque tu ouvres ton cœur et que tu peux le remplir de pensées aimantes et belles, tu voudras aimer toutes les âmes que tu rencontres, peu importe qui elles sont. C'est le libre flot de Mon amour universel qui ne connaît pas de discrimination, et ne choisis pas qui va être aimé et qui ne va pas l'être. Mon amour est le même pour tous.

Combien tu es prêt à accepter dépend de toi. N'aie pas peur d'exprimer cet amour! Il est au-delà de la personnalité; il est ce qu'il y a de plus élevé. Apprends à porter ton cœur en bandoulière, et n'aies jamais honte de démontrer ton amour pour les autres. L'amour est le plus grand facteur unifiant de l'univers, alors aime, aime, aime!

24 NOVEMBRE

« Vous les reconnaitrez à leurs fruits », qu'ils soient pour Moi ou contre Moi, qu'ils soient de la lumière ou des ténèbres. Ouvre tes yeux et tu sauras sans l'ombre d'un doute. Va en toi et ton cœur te dira. Fais ta propre évaluation et n'écoute pas tout ce qui est à l'extérieur; car si tu écoutes les nombreux bruits et rumeurs du dehors, tu te trouveras dans un tel embarras que tu ne sauras pas ce qui est la vérité et ce qui ne l'est pas, et tu perdras ton chemin.

Toutes les âmes peuvent trouver la vérité à l'intérieur, mais cela veut dire qu'elles doivent prendre du temps pour s'intérioriser. Elles doivent penser par elles-mêmes et trouver leur propre chemin, et beaucoup d'âmes sont trop paresseuses pour cela. Elles trouvent tellement plus facile d'écouter ce que les autres disent et d'accepter ce qui est dit sans entrer en elles. Mets-toi au calme et tu sauras la vérité; et la vérité te rendra libre.

25 NOVEMBRE

La souffrance n'est pas nécessaire dans le Nouvel Age. Pour les âmes qui entrent dans le nouveau, la souffrance n'est plus. Si tu as encore l'impression que souffrir est nécessaire, tu n'es pas du nouveau, mais fermement coincé dans l'ancien. Tu demeureras là, et tu attireras à toi la souffrance, jusqu'à ce que, de ton propre libre arbitre, tu avances et acceptes que ce ne soit plus le cas.

Concentre-toi sur les merveilles et les joies de cette vie, et accepte le meilleur, qui est ton véritable héritage. Ce n'est pas faire l'autruche qui a peur de la vie et n'y fait pas face. C'est voir la réalité de cette vie radieuse qui est tienne et, ce faisant, aider à la faire advenir. Plus tu peux la voir clairement, plus cela viendra vite. Accepte la vision du nouveau ciel et de la nouvelle terre, et maintiens-la toujours dans ta conscience, car ce n'est pas un rêve inaccessible. Il est réalité et tu en fais partie.

26 NOVEMBRE

Il y a grand besoin d'âmes stables sur lesquelles on puisse compter, d'âmes qui sont toujours à la bonne place, au bon moment et qui accomplissent ce qui doit l'être. Il y a besoin d'âmes vivant de telle façon que rien ne les trouble, parce qu'elles maîtrisent complètement chaque situation et vivent et agissent à partir de ce centre intérieur de paix et de tranquillité. Leur sécurité est en Moi; c'est pourquoi rien ne peut les déséquilibrer. Elles savent ce qu'elles font et pourquoi elles le font, et elles ont un vrai sens des responsabilités. On peut compter complètement sur elles pour mener un travail à bien, quel qu'il soit, et le faire parfaitement. Cherche en ton cœur! Es-tu digne de confiance? As-tu un sens des responsabilités tel que tu mènes un travail à bien jusqu'au bout? Es-tu toujours au bon endroit, au bon moment? Il est important que tu prennes du temps pour voir où sont tes lacunes; puis, vois ce que tu peux faire pour y remédier.

27 NOVEMBRE

Ayez amour et confiance les uns envers les autres, car l'amour et la confiance en une âme lui permet de fleurir et de se développer, pour qu'elle puisse prendre des responsabilités et grandir en force et en stature. Tu ne peux pas t'attendre à ce qu'un enfant grandisse en stature si tout est fait pour lui. On doit lui enseigner à penser par lui-même, à prendre ses propres décisions et à ne pas attendre que ses parents pensent pour lui. Il n'est pas facile de voir ceux qu'on aime prendre la mauvaise décision, et pourtant parfois il faut les laisser faire afin qu'ils apprennent certaines leçons. Les leçons peuvent être apprises de la manière facile, mais souvent, lorsqu'elles sont apprises de la manière difficile, elles ne sont jamais oubliées.

Alors ne soit jamais sur-protecteur; apprends à te détacher des âmes qui dépendent de toi, peu importe qui elles sont ou leur âge. Laisse-les apprendre à endosser leurs responsabilités et, en plus, à aimer le faire, et à s'aider les unes les autres à grandir.

28 NOVEMBRE

Aujourd'hui est un jour nouveau, et ce que tu en fais dépend de toi. Tes premières pensées au réveil peuvent colorer la journée entière. Elles peuvent être des pensées heureuses, positives ou des pensées tristes, négatives. Ne sois jamais influencé par les conditions extérieures, par le temps par exemple. Il peut pleuvoir à verse, mais si ton cœur est rempli d'amour et de gratitude, ton attitude toute entière sera remplie de soleil et de ciel bleu. Vois-tu quelle immense responsabilité repose sur tes épaules? La vie est ce que tu en fais, alors n'accuse jamais qui que ce soit d'autre pour l'état dans lequel tu es, mais sache que tu en es responsable. Change ton attitude et tu peux changer toute ta façon de voir. Adopte une attitude constructive envers la vie. Construis le meilleur à partir de ce que tu vois tout autour de toi, et ignore le reste; ne lui donne aucune force de vie et cela disparaîtra. Attends-Moi aujourd'hui dans le calme et en confiance, et sache que cette journée a Mes bénédictions.

29 NOVEMBRE

Quelles sont tes valeurs dans la vie? Si elles sont simplement les valeurs matérielles qui sont ici aujourd'hui et auront disparu demain, tu peux passer ta vie à tourner en rond comme un écureuil dans une cage: il ne va nulle part. Mais si tu recherches les chemins de l'Esprit, il faut que tu cherches à l'intérieur pour les trouver, et cela ne peut se faire qu'en étant tranquille et en faisant émerger ces trésors sans prix qui sont au fond de toi. Tu ne les trouveras pas à l'extérieur, car tu as en toi tout ce qui importe dans la vie. Tu es libre de faire ton propre choix en ce qui concerne les choses qui importent. Personne ne va essayer de t'influencer, car chaque âme a le libre arbitre. Il dépend de toi de faire de ta vie un désastre ou une réussite. La lumière est là; pourquoi ne pas la suivre? L'amour est là; pourquoi ne pas l'accepter? Rien ne t'est refusé quand tu le recherches de tout ton cœur, de toute ton intelligence, de toute ton âme et de toute ta force.

30 NOVEMBRE

Tu ne peux pas passer à de plus grandes tâches tant que tu n'as pas éclairci tes relations, et que tu ne marches pas dans l'amour, la paix et l'harmonie avec les autres, ne gardant en toi ni ressentiment, ni méchanceté. Les mauvaises herbes doivent être arrachées du sol avant qu'elles n'étouffent les plantes qui y poussent. Arrache toutes les mauvaises herbes dans ta vie dès maintenant, avant qu'elles ne deviennent fermement établies et n'étouffent ces belles plantes qui poussent en toi. Tu ne peux pas croître et t'épanouir spirituellement lorsque tu gardes en ton cœur de la haine, de la jalousie, de l'aversion, de l'intolérance ou de l'incompréhension. Eclaircis tes différends rapidement et laisse couler l'amour. N'attends jamais que l'autre fasse le premier pas. Tu peux toujours y faire quelque chose, alors pourquoi ne pas le faire dès maintenant? Ne remets jamais à demain ce qui peut être fait aujourd'hui. Beaucoup de choses attendent de se déployer, mais elles doivent le faire dans la bonne atmosphère, l'atmosphère d'amour, d'amour et d'encore plus d'amour.

DECEMBRE

Il me fut montré une grande boule de lumière.
Il en sortait des rayons de lumière éclatants
et des rayons très ternes y retournaient.
J'entendis les mots:

Quand tu auras parcouru le cycle complet,
tu retourneras à Moi, la source de toute vie,
et tu deviendras un avec Moi,
comme tu l'étais au commencement.

1er DECEMBRE

Laisse hier derrière toi et hâte-toi d'entrer dans cette nouvelle journée merveilleuse, sachant qu'elle ne renferme que ce qu'il y a de meilleur pour toi, et attends-toi à ce que seul le meilleur en émerge. Vois Ma main en toute chose, et contemple la naissance du nouveau ciel et de la nouvelle terre! Ne crains rien, car c'est Mon bon plaisir de te donner le royaume, pas demain ou un jour, mais aujourd'hui. Peux-tu accepter qu'aujourd'hui tout peut arriver? Es-tu préparé à ce que les évènements les plus merveilleux arrivent? Cela permet de hâter les choses et de ne voir sortir que le meilleur de chaque situation. En fait, c'est parce que tu cherches le meilleur en chaque situation que tu l'aides à se manifester. Par cette action très positive tu crées les bonnes conditions, le bon environnement pour l'émergence du nouveau. Tu deviens comme une sage-femme, prêt à donner ton assistance de toutes les façons possibles pour le rendre manifeste.

2 DECEMBRE

Il y a toujours besoin de pionniers, de ces âmes qui ont la force et le courage de prendre les devants dans le nouveau. Ce sont ceux qui ont une vision et qui maintiennent cette vision toujours devant eux et la voient se déployer. Mais chacun est une individualité et ne peut donc pas être mis dans un moule. Tu dois être libre de croître, de te développer et d'être inspiré par ces profondes suggestions intérieures qui animent ton être essentiel. Vis selon l'Esprit; agis selon les suggestions de l'Esprit, peu importe combien celles-ci peuvent te sembler folles! Il est bien plus commode de se mettre en retrait et d'attendre que quelqu'un d'autre fasse le premier pas, fasse ce saut dans l'inconnu. Cela demande foi et courage pour être capable de le faire; et si tu n'as pas le courage et la foi pour le faire, n'essaie pas de retenir ou d'arrêter ces pionniers qui les ont! Mais soit éternellement reconnaissant, car sans eux, Mon nouveau ciel et Ma nouvelle terre ne pourraient jamais s'établir.

3 DECEMBRE

Tu fais partie du tout, et chaque âme a son rôle à jouer dans le tout. Alors ne sois pas critique ou intolérant envers les autres, mais réalise que pas deux d'entre vous ne sont identiques et qu'il faut beaucoup d'éléments différents pour former le tout parfait. As-tu jamais vu une horloge démontée? Il y a beaucoup de pièces différentes, et en les voyant répandues là devant toi, tu te demandes comment elles pourraient jamais constituer un parfait instrument à mesurer le temps. Mais quand quelqu'un qui connaît quelque chose aux horloges prend chaque pièce et la met au bon endroit, tu t'aperçois que non seulement elle marche, mais qu'elle donne aussi la bonne heure. Tant que chaque pièce minuscule reste à sa place assignée, et joue son rôle, tout va bien. Maintenant tu sais pourquoi je te dis sans cesse de trouver la place où tu dois être dans le vaste ordre de la vie, et quand tu l'as trouvée, de donner le meilleur de toi-même.

4 DECEMBRE

Apprends à apprécier tout ce qui t'est donné et à en prendre soin. Tu ne feras cela que lorsque tu réaliseras que tout ce que tu as vient de Moi. Lorsque tu aimeras vraiment celui qui donne, tu chériras le don. Lorsque tu négliges de t'occuper de Mes dons, cela reflète ton attitude envers Moi, le pourvoyeur de tous ces dons. L'amour est la clé. Lorsque tu connaîtras la signification de l'amour, tu ne négligeras jamais d'aimer et de prendre soin de tout ce qui t'est remis. Tu ne donnes pas à un enfant un objet de valeur pour qu'il joue avec, parce que tu sais que cet enfant n'y feras pas attention et risque fort de le détruire. Je ne peux pas te donner tout ce qui t'attend tant que tu n'apprends pas à en prendre soin et à l'utiliser correctement, c'est à dire avec amour et attention. C'est pourquoi Je dois attendre patiemment jusqu'à ce que tu sois prêt, avant de pouvoir te donner de plus en plus de Mes dons.

5 DECEMBRE

Pourquoi te promener les yeux clos et l'esprit fermé, et manquer ainsi de reconnaître ton vrai héritage? Prends conscience que tu n'as pas à chercher la sagesse, la connaissance et l'entendement à l'extérieur; tout est là en toi, disponible. Lorsque tu prendras conscience de cela, tu ne sentiras plus jamais qu'une âme est plus intelligente qu'une autre. Tu sauras que si les âmes prennent conscience qu'elles contiennent tout à l'intérieur d'elles-mêmes, elles pourront faire et comprendre toutes choses, et qu'en effet, c'est tout un monde nouveau qui va s'ouvrir pour elles. Tu es un monde par toi-même, un monde qui contient toute lumière, tout amour, toute sagesse et tout entendement, et qui attend qu'on le fasse émerger. Alors cesse de le rechercher à l'extérieur. Prends du temps pour être tranquille et le trouver en toi! Apprends à te comprendre toi-même, et ce faisant, tu commenceras à comprendre les autres, à comprendre la vie, à Me comprendre.

6 DECEMBRE

Ne laisse ni la fierté intellectuelle ni les idées préconçues, les opinions et les préjugés fermer et barrer le chemin. Ne te ferme pas non plus à la vérité parce qu'elle ne vient pas par des moyens conventionnels ou orthodoxes. Tu es en train de passer dans le nouveau, et par conséquent tu dois être préparé à beaucoup de nouvelles méthodes et de nouveaux moyens. Lorsqu'à l'école, on fait passer un enfant dans une classe plus élevée, il doit apprendre à s'ouvrir, à absorber et à accepter tous les nouveaux sujets qu'il doit apprendre. Il en est de même avec le fait de passer dans le Nouvel Age. Tu dois avoir le désir d'oser, d'essayer de nouvelles experiences, de marcher avec entrain dans l'inconnu. Tu dois même être désireux de faire des erreurs et d'apprendre à travers ces erreurs, sachant que tout en faisant cela, tu grandiras sans cesse en sagesse, connaissance et compréhension. Ne t'inquiète pas. Tu n'auras pas à passer tout droit de la sixième à la première. Pas à pas le chemin te sera révélé, et on te fera avancer graduellement.

7 DECEMBRE

Lorsque tu es en disharmonie avec l'ordre divin des choses, tu attires à toi la disharmonie et la désunion. Tu te trouveras en train de ramer à contre courant, en vain et t'épuisant simplement. Pourquoi ne pas aller avec le courant, couler avec lui et te mettre en harmonie avec ce qui se passe? Si tu apprends à faire cela, tu te trouveras en harmonie avec toute chose et tout le monde autour de toi. Tu ne te sentiras plus comme un vilain petit canard, mais tu te fondras parfaitement avec ton entourage et ton environnement. Tu verras que tu es en harmonie avec toi-même, et que cette harmonie à l'intérieur se reflètera à l'extérieur. La vie coulera sans heurt et tout se mettra en place parfaitement. Tu verras sans cesse arriver ce qui paraîtra miracle sur miracle.

Cette manière de vivre deviendra pour toi la manière normale de vivre parce que tu seras accordé à Moi et que Je pourrai travailler en toi et à travers toi pour faire advenir Mes merveilles et Ma gloire.

8 DECEMBRE

Combien de fois, pendant la journée, es-tu pleinement conscient de Moi? Combien de fois, pendant la journée, reconnaîs-tu Ma main dans ce qui arrive et Me rends-tu grâce? Prends du temps aujourd'hui et essaie de garder le contact avec Moi sans cesse. Tu ne trouveras pas cela facile au début, car tu te surprendras à errer sur les routes et les chemins de la vie sans qu'une seule pensée Me concernant n'entre dans ta conscience pendant de longues périodes. Pour commencer, tu auras à apprendre à ramener ta conscience vers Moi et à l'empêcher d'errer sans but. Mais si tu persévères, progressivement tu Me connaîtras de plus en plus consciemment. Tu apprendras à vivre, à bouger et à avoir ton essence en Moi, et tu connaîtras la signification de notre Unité: il n'y a pas de séparation, JE SUIS en toi et tu es en Moi, et nous sommes un.

9 DECEMBRE

Pour donner la note de la journée, tu dois apprendre à être tranquille et à avoir un temps d'harmonisation de bon matin au réveil, avant que ton esprit ne soit brouillé par tous les évènements de la journée. Ta vie est comme une toile propre, sans une seule marque. Que les premiers coups de pinceau au réveil soient très clairs et très définis! Qu'ils soient pleins d'amour, d'inspiration et d'attente du meilleur pour cette nouvelle journée devant toi!

Tu te trouveras dans un état très tranquille, très réceptif et très impressionnable. Dans cet état, tu pourras diriger les activités de ton esprit vers le chemin le plus élevé et le plus désirable. Entre dans ce nouveau jour, ouvert à ce que le meilleur se révèle dans tout ce que tu entreprends. Pas à pas, vois le dessein parfait se déployer pour la journée comme pour toi. Hier est derrière toi, une nouvelle journée radieuse est devant toi, et tu es en harmonie avec toute vie.

10 DECEMBRE

Ne perds pas temps et énergie à te débattre comme un poisson hors de l'eau, t'en prenant aux autres pour les conditions et les circonstances dans lesquelles tu te trouves. Sache simplement que tout est entre tes mains! Par conséquent tu peux rectifier les choses toi-même sans l'aide de qui que ce soit lorsque tu prends le temps de trouver la paix et la tranquillité intérieures et de Me servir. Aucune chose ne te sera cachée si tu la cherches et si tu déposes tout devant Moi et cherches à faire Ma volonté et seulement Ma volonté. Tu ne comprendras ce qu'est Ma volonté que lorsque tu apprendras à être tranquille. N'essaye pas de toutes tes forces! Lâche prise, détends-toi et trouve cette paix du cœur et de l'esprit qui ouvre toutes les portes et révèle la lumière de la vérité. Tu verras que tu accompliras bien plus de choses lorsque tu pourras te détendre et tout remettre entre Mes mains. Puis, très tranquillement, sers-Moi et laisse les choses couler librement et naturellement sans aucun effort de ta part, et ainsi épanouis toi en toute perfection.

11 DECEMBRE

La meilleure manière d'amener amour et prospérité dans ta vie est de bénir toute chose et de rendre grâce pour chaque « plus » qui vient vers toi comme étant un don de Moi. En apprenant à bénir et à remercier pour toute chose, tu mets en pratique une des grandes lois de prospérité et d'abondance, car avec amour et bénédictions il vient plus. Tu as vu un enfant s'épanouir et croître en beauté et en sagesse lorsque l'amour et les bénédictions sont déversés sur lui. Tu as vu les plantes, les fleurs et les animaux répondre à l'amour et aux bénédictions. Tu t'es senti toi-même répondre lorsque l'amour et les bénédictions sont déversés sur toi. Maintenant va et fais de même pour tous ceux avec qui tu entres en contact.

Tu verras que plus tu le fais, plus c'est facile, et plus tu pourras ouvrir ton cœur facilement jusqu'à ce que l'amour et les bénédictions coulent de toi tout le temps et que la véritable joie de vivre déborde de toi jusque dans le monde.

12 DECEMBRE

Si tu dénombres les heures de pratique qu'un bon pianiste doit faire chaque jour avant de donner un superbe concert, tu commenceras à comprendre pourquoi tu dois toujours rester en alerte pour pouvoir vivre cette vie spirituelle de la façon dont elle devrait être vécue. Cela ne veut pas dire que tu dois te forcer, mais que tu dois être constamment en alerte et attentif à ce qui se passe, surtout au début.

Comme le pianiste travaillant en vue de la perfection doit répéter un morceau difficile encore et encore avant d'atteindre la satisfaction, ainsi dois-tu passer et repasser sur le même terrain, apprenant les mêmes leçons jusqu'à ce qu'elles fassent tellement partie de toi que tu ne peux pas t'en séparer, car elles sont enracinées en toi. Souviens-toi: personne d'autre que toi ne peux vivre cette vie pour toi; personne d'autre que toi ne peut s'exercer pour toi. Il n'y a que toi qui puisse le faire. Alors pourquoi ne pas commencer dès maintenant?

13 DECEMBRE

C'est lorsque Je peux travailler dans et à travers des canaux ouverts et de bonne volonté que des événements étonnants peuvent se produire. Toutes les âmes qui les voient se produire peuvent y voir Ma main et réaliser que, d'elles-mêmes, elles en seraient incapables. Elles savent qu'en vérité Je travaille en elles et à travers elles, et de cette façon elles en viennent à Me connaître et à M'aimer. Donc n'oublie jamais de rendre grâce pour tout évènement de ta vie. Garde ton cœur ouvert et ton esprit désemcombré de pensées négatives afin que tu n'aies pas besoin de perdre du temps à te débarrasser des vieilles formes de pensées qui peuvent arrêter l'avancée du nouveau. Souviens-toi toujours que la simplicité est Mon sceau. Par conséquent lorsque la vie devient trop compliquée pour toi, tu peux être sûr que tu n'es pas sur la bonne voie et que tu as besoin d'y retourner aussi vite que possible. Sois comme un petit enfant, simple et non compliqué, et jouis pleinement de la vie!

14 DECEMBRE

Garde à l'esprit qu'il sort du bon de toute chose et que chaque épreuve t'est donnée pour t'aider à grandir et à t'épanouir. Prends conscience que sans tes propres expériences tu ne serais pas capable de comprendre tes compagnons humains ou de leur ouvrir ton cœur, mais tu te tiendrais à l'écart et même jugerais et condamnerais. Les expériences, aussi étranges ou difficiles soient-elles, t'ont été données dans un but; donc prends le temps de chercher ce but. Essaie de voir Ma main en toute chose, de voir que rien n'est dû au hasard, et que la chance ou la bonne fortune n'existent pas. Comprends que tu attires à toi tout ce qu'il y a de meilleur ou de pire dans la vie. Cela peut être la paix, la sérénité et la tranquillité, ou cela peut être le chaos et la confusion. Cela vient de l'intérieur, de ton état de conscience; n'accuse donc pas ton entourage. Un escargot porte tout avec lui, même sa maison. Tu portes tout en toi, et cela se reflète à l'extérieur.

15 DECEMBRE

L'étincelle divine est en chaque personne, mais, chez beaucoup d'âmes, il faut la faire émerger et l'attiser pour qu'elle devienne flamme. Eveille-toi de ta somnolence, reconnais la divinité en toi, nourris-la et permets-lui de grandir et de s'épanouir! Une graine doit être plantée dans le sol avant de pouvoir pousser. Elle a en elle tout son potentiel, mais ce potentiel reste dormant jusqu'à ce qu'il lui soit donné les bonnes conditions pour croître et se développer. Tu as, en toi, le royaume du ciel, mais si tu ne t'éveilles pas à ce fait et ne commences pas à le chercher, tu ne le trouveras pas, et il restera là, tel qu'il est. Il y a beaucoup d'âmes dans cette vie qui ne s'éveilleront pas à ce fait, elles sont comme des graines stockées dans des paquets. Tu dois vouloir briser tes chaînes pour être libre. Dés que le désir sera là, tu recevras de l'aide de toutes les façons possibles. Mais il faut d'abord que le désir soit en toi.

16 DECEMBRE

« Soyez transformés par le renouvellement de votre esprit ». Combien ces mots sont importants! Tu les a souvent entendus, mais qu'en as-tu fait? Que signifient-ils pour toi? Prends du temps pour y réfléchir jusqu'à ce qu'ils deviennent, dans ta vie, des mots vivants, vibrants et que tu te sentes être vraiment transformé par le renouvellement de ton mental. Tu parles de paix et d'harmonie, du nouveau ciel et de la nouvelle terre, de faire Ma volonté, d'amour et de lumière irradiés dans le monde et de passer dans le nouveau, mais que fais-tu, effectivement, dans ce sens? Vis-tu de façon à participer à son avènement? N'accepte pas de te transformer en perroquet, répétant des choses vides de sens pour toi. Prie sans cesse pour une compréhension plus profonde et plus claire, rends grâce, avance et élève toi. Par dessus tout, vis une vraie vie et laisse les choses arriver pour transformer ta vie.

17 DECEMBRE

Lorsque tu seras en contact avec Moi et que ton plus grand désir sera de faire ma volonté, tu verras que chaque action que tu fais doit l'être, non pas pour toi-même, mais pour le bien du tout. Cette vie est uniquement pour les âmes complètement consacrées qui ont le désir de s'oublier et de devenir partie du tout. Ce n'est pas facile pour la majorité de l'humanité, car beaucoup d'âmes n'ont pas envie d'abandonner leur individualité. Elles veulent s'accrocher à ce qu'elles appellent leurs « droits », et faire exactement ce qu'elles veulent, sans considération pour qui que ce soit d'autre.

Par conséquent, si jamais tu sens que la vie ne va pas comme tu veux et que tu es en disharmonie avec le tout, prend du temps pour découvrir ce qui, en toi, cause la disharmonie, et ne cherche jamais un bouc émissaire que tu puisses accuser. Lorsque tu découvres que c'est quelque chose en toi qui en est la cause, tu peux le rectifier sans délai.

18 DECEMBRE

Cesse de peiner pour quelque chose, et laisse simplement les choses se déployer. Ne permets pas à l'inquiétude de te lier et de t'aveugler, mais apprends à déposer tous tes fardeaux sur Moi afin d'être libre de faire Ma volonté et de marcher dans Mes chemins. Je ne peux pas t'utiliser lorsque tu es tout empêtré avec toi-même et que tu ne peux pas voir la forêt à cause de l'arbre, alors détends-toi et lâche prise! Sois tranquille et attarde-toi sur les merveilles de la vie. Que ton esprit demeure en Moi! Ouvre les yeux et vois-Moi en toute chose, et rends éternellement grâce!

Quand tu peux Me voir en tout, ton cœur est tellement plein que tu ne peux pas manquer de rendre grâce; il déborde tout simplement en toi et au dehors. Tu ne peux pas cacher un cœur plein d'amour et de gratitude, car il se reflète aux yeux de tous. Quand tu es dans un état de joie et d'action de grâce, tu attires les autres à toi. Tout le monde aime être avec une âme qui déborde d'amour, car l'amour attire l'amour.

19 DECEMBRE

Cette vie est une vie d'action, une vie de changement. Qu'il n'y ait pas de complaisance, car lorsque tu es content de toi, tu peux si facilement tomber dans une ornière, source de stagnation. Tu dois faire ton propre travail spirituel. Tu dois faire ta propre recherche de la manière qui t'appartient. Vois où tu as besoin de changer et puis pose les actes nécessaires au changement. Si le changement est désagréable, plus vite il se fera, plus ce sera facile. C'est bien moins douloureux d'arracher un pansement rapidement que de le faire doucement. Donc fais ce que tu sais devoir être fait sans perdre de temps à y penser. Fais ce bond dans le nouveau sans hésitation, et sache simplement que cela sera bien plus merveilleux que ce que tu as laissé derrière toi dans l'ancien. Avec le changement vient la vie, une vie pleine et radieuse. Elle t'est offerte. Prends-la et rends-en grâce éternellement!

20 DECEMBRE

Cherche d'abord le royaume, mets-Moi au premier plan et tout le reste te sera donné de surcroît. Tu connais ces mots, mais qu'en fais-tu? Les vis-tu? Est-ce que les chemins de l'Esprit viennent en premier dans ta vie? Est-ce que le temps que tu passes seul avec Moi signifie plus pour toi que n'importe quoi? Aimes-tu être tranquille, ou es-tu gêné et mal à l'aise dans la tranquillité? Cherches tu à être toujours occupé et trouves-tu très difficile de calmer ton corps et ton esprit? Il y a des millions d'âmes dans le monde qui ne peuvent supporter le silence. Elles recherchent constamment l'action et le bruit autour d'elles. Ce sont celles qui ne savent pas ce que veut dire rechercher d'abord Mon royaume et Me mettre en premier dans leurs vies. Elles sont agitées au dedans et au dehors. Je te le dis, les moments de paix et de tranquillité, quand nous sommes ensembles, sont très précieux dans un monde d'agitation. Recherche-les, trouve-les et demeure dans cet état!

21 DECEMBRE

Apprends à vivre au delà de toi-même et de tes propres forces et capacités, afin que ton entourage puisse voir directement que c'est Moi qui travaille en toi et à travers toi. De cette façon, les âmes qui n'ont ni foi ni croyance viendront à Me connaître, non pas grâce à beaucoup de paroles, mais grâce à une vie directe et démontrée. Si tu ne vis pas comme cela, tu ne reconnais pas que JE SUIS ton guide et ton compagnon et que tu as consacré complètement ta vie à Moi et à Mon service. Tu dois retirer tes pieds du fond et nager au large dans les profondeurs de l'inconnu en ayant une foi et une confiance absolues, sachant qu'aucun mal ne t'arrivera car JE SUIS avec toi.

Tu ne sauras jamais s'il en est ainsi si tu n'acceptes pas de faire quelque chose en ce sens. Cesse de jouer sans risque, et laisse-Moi te montrer ce qui peut arriver lorsque tu lâches prise et Me permets de prendre les rênes et de t'utiliser comme Je le désire.

22 DECEMBRE

« Comme tu donnes tu recevras! ». Ce ne sont pas que des mots, c'est la loi. Si tu les vis et les mets en action, tu verras comme ils fonctionnent merveilleusement. Tu verras que de même que tu commences à donner ce que tu as, de même il te sera de plus en plus donné. Ne crains rien, ne retiens rien; simplement donne et continue à donner. Un cœur ouvert, généreux, attire à lui tout ce qu'il y a de meilleur . Que ton cœur soit ouvert et généreux afin de ne rien retenir, et laisse l'esprit de don être toujours présent. Evalue ce que tu as à donner et puis donne-le, peu importe ce que c'est, car alors que chaque don est offert, il aide à compléter le tout. N'attend pas que quelqu'un d'autre t'extorque tes dons, mais donne volontairement de ce que tu as. Ce faisant, tu verras où il s'emboîte dans le tout, comme la pièce d'un puzzle qui, lorsque elle est mise à sa place, complète l'image.

23 DECEMBRE

Donne Moi l'occasion de travailler en toi et à travers toi pour faire advenir Mes merveilles et Ma gloire! Maintiens toujours devant toi la vision de Mon amour sans limites, de Mon abondance sans limites et de Mes merveilles et Ma gloire. Garde la vision du nouveau ciel et de la nouvelle terre, de Ma volonté en train de se faire, de la paix et de l'harmonie sur terre et de la bonne volonté envers tous. Maintiens la vision de vastes cités de lumière où la paix et l'amour règnent en maîtres, surgissant partout dans le monde. Ne perds jamais, à aucun moment, la vision, car c'est en maintenant toujours la vision fermement et clairement ancrée en toi que tu aides à la faire descendre de l'éthérique, et que tu vois ces merveilles se manifester sur le plan terrestre pour la contemplation de tous. Plus la vision est claire, plus vite elle sera manifestée. Rends constamment grâce de ce que tes yeux aient été ouverts et de ce que tu saches quoi faire. Maintenant va, fais-le, et cesse d'y penser!

24 DECEMBRE

La vitesse à laquelle les changements peuvent se manifester te stupéfiera. Tu as été préparé pour ces changements depuis longtemps. A travers les âges, jour après jour, mois après mois, année après année, J'ai très patiemment préparé la scène pour que ces changements prennent place. Il t'a été donné toutes les occasions de t'ajuster et de te préparer; donc tu devrais pouvoir avancer sans difficulté. C'est une question de conscience, d'être capable d'élever ta conscience et de t'ajuster à tout ce qui se fait.
Les âmes qui ont connaissance de la conscience du Christ sont attirées ensemble en ce moment comme l'acier vers un aimant. Il arrive qu'elles n'en soient pas toujours conscientes sur le moment, mais cela deviendra très clair pour elles dans les temps qui suivent. C'est cette conscience qui attire de plus en plus d'âmes ensemble afin que vous puissiez tous devenir conscient du Christ à l'intérieur, et rendre grâce éternellement pour cette conscience.

25 DECEMBRE

Jour après jour tu deviens de plus en plus empli et imprégné de la conscience du Christ. Tu es capable de marcher dans la lumière et de devenir un avec la lumière jusqu'à ce qu'il n'y ait plus d'obscurité en toi, et au fil de ce processus, tu apportes plus de lumière dans le monde. Tu dois te rendre compte que tout commence en toi. Tu dois mettre ta propre maison en ordre d'abord, et tu dois avoir foi et confiance que tu peux le faire et puis le faire. C'est ce qui est en toi qui se reflète au dehors. Ce n'est pas une chose pour laquelle il faut lutter, c'est quelque chose qui arrive juste comme ça, si seulement tu la permets et emplis ton cœur et ton mental d'amour et de compréhension. Cet état de conscience élevé est dans l'air même que tu respires. Inspire le profondément et laisse ton être tout entier en être rempli. C'est si grand que tu ne peux pas le contenir; donc expire-le, et ainsi maintiens le en mouvement et en croissance.

26 DECEMBRE

Qu'attends-tu de la vie? T'attends-tu au meilleur, ou es-tu de ceux qui ont toujours peur que le pire arrive, que les choses tournent mal ? Si oui, tu mérites ce qui t'arrive, car tu attires à toi ce que tu aimes ou ce que tu détestes et crains. Lorsque ta conscience est négative, tu attires à toi la négativité comme un aimant attire l'acier, et tu te trouveras en compagnie d'âmes qui te ressemblent, car qui se ressemble s'assemble. Lorsque ta conscience sera d'amour, quand tu seras débordant des joies de la vie et quand ton cœur sera rempli de gratitude pour tous et tout, tu te surprendras à attirer vers toi les âmes heureuses, joyeuses qui irradient l'amour et la joie où qu'elles aillent. Ta vie sera remplie de ce que la vie peut offrir de meilleur. Pourquoi ne pas voir le meilleur en chaque situation? Visualise le meilleur qui est attiré à toi maintenant.

27 DECEMBRE

Souvent tu auras à avancer porté par la foi, incapable de voir toute les raisons de ton action, mais n'hésite pas lorsque tu sais au fond de toi qu'elle est juste. Tu dois avoir foi pour être capable de faire des pas dans l'inconnu, car il peut y avoir beaucoup d'influences extérieures te tirant d'un côté où de l'autre jusqu'à te sentir déchiré. C'est là que tu dois apprendre à t'intérioriser et à savoir avec absolue certitude que ce que tu fais est guidé par Moi et sera parfaitement mené à bien. Cela demande une grande foi et un grand courage pour sortir du rang et suivre ces profondes suggestions intérieures, spécialement lorsque l'action que tu fais apparaît comme une pure folie aux yeux des autres. C'est pourquoi tu ne pourrais pas la faire sans une foi et une certitude intérieures totales. Le choix repose toujours entre tes mains; donc choisis et choisis juste, ta main fermement dans la Mienne. Je ne te ferai jamais défaut ni ne t'abandonnerai, mais JE guiderai chacun de tes pas!

28 DECEMBRE

Qu'il y ait unité dans la diversité! Vois les nombreux chemins qui mènent tous au centre, à Moi, chacun différent et pourtant chacun conduisant dans la même direction. Plus ils approchent du centre, plus l'unité est grande, jusqu'à ce que tous fassent un avec Moi et qu'il n'y ait plus diversité mais unité complète. Tu verras cela se faire de plus en plus avec les nombreux centres de lumière partout dans le monde.

Comme la situation du monde devient plus sombre et empire, ils deviendront de plus en plus lumineux jusqu'à ce que la lumière vainque toutes les ténèbres.

Il est bon d'avoir une image plus large de ce qui est en train de se produire, mais il est aussi très important de réaliser que tout commence en toi. Prends conscience que ce qui se passe en chaque individu ressort dans le monde et se reflète dans la situation mondiale. C'est pourquoi la paix du cœur et de l'esprit est si essentielle en toi, et pourquoi l'harmonie, la compréhension et l'amour profond devraient couler entre toi et tous les autres.

29 DECEMBRE

Ouvre ton cœur et accepte tous Mes dons parfaits et bons! Ils sont là qui t'attendent, mais beaucoup d'âmes négligent d'ouvrir leurs cœurs et de tendre leurs mains pour accepter leur juste héritage. Soit elles ont peur de le faire, soit elles ont l'impression qu'elles n'en sont pas dignes, ou tout simplement ne croient pas que c'est là, et donc rejettent ce qui attend d'être réclamé par elles.

Si tu as de l'argent en banque mais si tu refuses d'accepter sa présence et de puiser dans cette réserve à cause de ton incrédulité, tu souffres du manque et tu dois t'en passer. Mes réserves sont pleines à déborder, et tout ce que J'ai est à toi; mais tu dois faire quelque chose pour cela; tu dois réclamer ce qui t'appartient. Tu ne peux pas vivre cette vie spirituelle si tu ne crois pas qu'elle t'appartient et ne la réclames pas. Le nouveau ciel et la nouvelle terre sont là maintenant.

30 DECEMBRE

Tu es Mes mains et Mes pieds! Je dois travailler en toi et à travers toi pour révéler Mes merveilles et Ma gloire. Je dois t'utiliser pour faire descendre Mon royaume, pour faire venir le nouveau ciel et la nouvelle terre. Tant que tu ne prends pas conscience que J'ai besoin de toi, tu continueras à entendre parler de ce merveilleux nouveau ciel et de cette merveilleuse nouvelle terre, mais tu ne les contempleras pas, n'y vivras pas et ne les verras pas travailler en toi et tout autour de toi. Quelle est l'utilité d'un rêve utopique? Il doit être réalisé, et cela ne peut arriver que lorsque tu commences à le vivre et arrêtes d'en parler. Si tu vois une personne se noyer, il n'est pas très utile de lui crier des instructions à partir du rivage. Tu dois sauter dans l'eau et faire quelque chose pour l'aider. Ce n'est donc pas très utile de lire des choses sur la manière de créer le nouveau ciel et la nouvelle terre ou d'apprendre des choses à ce propos. Tu dois commencer à les vivre maintenant pour les faire advenir!

31 DECEMBRE

Une fois que tu as fait un pas en avant dans la foi, ne regarde jamais en arrière ni ne commence à regretter ce que tu as laissé derrière toi. Compte simplement sur le plus merveilleux des avenirs et visualise le. Laisse tout l'ancien derrière toi; il est terminé. Sois reconnaissant des leçons que tu as apprises et des expériences que tu as eues, qui t'ont toutes aidé à grandir et t'ont donné une plus grande compréhension, mais n'essaie jamais de t'y accrocher.
Ce qui t'attend est bien, bien plus merveilleux que ce que tu as laissé derrière toi. Si tu as placé ta vie sous Ma « guidance » et Ma conduite directes, comment quoi que ce soit pourrait-il mal se passer? C'est lorsque tu as fait un pas en avant et que tu te demandes si tu as bien fait, que tu permets aux doutes et aux peurs d'entrer, que les choses commencent à t'envahir et que tu te trouves courbé sous le poids de ta décision. Par conséquent lâche prise, libère le passé et avance, le cœur empli d'amour et de gratitude!

Edition reliée

FINDHORN

Eileen Caddy est connue dans le monde entier comme l'un des trois fondateurs de la communauté de Findhorn, dans le nord de l'Ecosse où elle vit actuellement. Ses livres y ont attiré des dizaines de milliers de personnes venues pour partager une vie simple en étroit contact avec la nature et pour développer leur vie spirituelle.
Des séjours d'une semaine en français sont organisés au cours de l'année. Vous pourrez y découvrir de nombreux aspects de la communauté et de son histoire. La moitié du temps est consacré à travailler avec les membres de la communauté, l'autre à des programmes variés.

Pour tout renseignements, s'adresser à :
FINDHORN FOUNDATION
Accomodation Secretary, Cluny Hill College
Forres IV 36 ORD - Scotland, Royaume Uni
Tél. 00.44.1.309.673.655
site: www.findhorn.org

15-06-04

Juin : Amour, l'huile de l'amour source de paix sérénité et d'harmonie. Comment s'envelopper de cette énergie ? Comment ressentir cette chaleur ? Comment savoir si ont est sur la bonne voie ?

Mon père, guide moi à travers la brume de peur aide-moi à accepter mon bien-être. Protège-moi de la violence et du mal. Trouve pour moi les meilleurs outils de deffer et de protection

pour que personne ne
soit capable de brisé
ma paix et ma sérénité.
Donne-moi la confiance
que j'ai besoin pour qu'enfi
je puisse vivre les bras
ouverts et non les poigs
fermées.
Aimes-moi très fort et
delivre moi de la honte

IMPRIMÉ EN FRANCE PAR BRODARD ET TAUPIN
en mars 2003